LA CAUSE DU QUÉBEC
de Bernard Landry
est le sept cent vingt-quatrième ouvrage
publié chez VLB éditeur
et le vingt-neuvième de la collection
« Partis pris actuels »
dirigée par Pierre Graveline.

VLB éditeur bénéficie du soutien de la Société de développement des entreprises cultu-relles du Québec (SODEC) pour son programme d'édition.

Gouvernement du Québec – Programme de crédit d'impôt pour l'édition de livres – Gestion SODEC.

Nous reconnaissons l'aide financière du gouvernement du Canada par l'entremise du Programme d'aide au développement de l'industrie de l'édition (PADIÉ) pour nos activités d'édition.

Nous remercions le Conseil des Arts du Canada de l'aide accordée à notre programme de publication.

LA CAUSE DU QUÉBEC

Bernard Landry

La cause du Québec

vlb éditeur

VLB ÉDITEUR
Une division du groupe Ville-Marie Littérature
1010, rue de La Gauchetière Est
Montréal (Québec) H2L 2N5
Tél.: (514) 523-1182
Téléc.: (514) 282-7530
Courriel: vml@sogides.com

Maquette de la couverture: Nancy Desrosiers
Photo de la couverture: © Josée Lambert

Données de catalogage avant publication (Canada)

Landry, Bernard, 1937-
  La cause du Québec
  (Collection Partis pris actuels)
  ISBN 2-89005-791-7

  1. Québec (Province) – Histoire – Autonomie et mouvements indépendantistes.
2. Souveraineté. 3. Québec (Province) – Politique économique. 4. Finances
publiques – Québec (Province). 5. Libre-échange – Québec (Province).
6. Mondialisation. I. Titre. II. Collection.

FC2926.9.N3L36   2002   971.4'04   C2002-941857-7
F1053.2.L36   2002

DISTRIBUTEURS EXCLUSIFS:

* Pour le Québec, le Canada   • Pour la France:
  et les États-Unis: D.E.Q. – Librairie du Québec
  LES MESSAGERIES ADP*   30, rue Gay-Lussac
  955, rue Amherst   75005 Paris
  Montréal (Québec) H2L 3K4   Tél.: 01 43 54 49 02
  Tél.: (514) 523-1182   Téléc.: 01 43 54 39 15
  Téléc.: (514) 939-0406   Courriel: liquebec@cybercable.fr
  *Filiale de Sogides ltée

                                 • Pour la Suisse:
                                   TRANSAT S.A.
                                   4 Ter, route des Jeunes
                                   C.P. 1210
                                   1211 Genève 26
                                   Tél.: (41.22) 342.77.40
                                   Téléc.: (41.22) 343.46.46

Pour en savoir davantage sur nos publications,
visitez notre site: **www.edvlb.com**
Autres sites à visiter: www.edhomme.com • www.edtypo.com
• www.edjour.com • www.edhexagone.com • www.edutilis.com

Dépôt légal: 4e trimestre 2002
Bibliothèque nationale du Québec
Bibliothèque nationale du Canada

À la douce mémoire de Lorraine,
à l'avenir de nos enfants et petits-enfants,
et à Chantal Renaud

je n'ai jamais voyagé
vers autre pays que toi mon pays

GASTON MIRON

Avant-propos

La cause du Québec est au centre de ma vie depuis ma prime jeunesse. Le Québec de ce temps-là s'appelait le Canada français. Il avait le *Ô Canada* comme hymne national, la fleur de lys et la feuille d'érable comme emblèmes. Son territoire correspondait pour l'essentiel à celui de « notre Laurentie » : « fleuve géant », belles terres arables, collines et montagnes, plus un million de lacs. Le reste du Canada ne représentait alors pour nous qu'un vague projet de conquête à saveur messianique.

J'ai aimé physiquement ce pays dès ma tendre enfance, passée entre les champs fertiles et les forêts, au pied des Laurentides. J'ai aussi aimé et admiré le peuple qui l'habitait, ces hommes et ces femmes, simples et affables, qui menaient une existence laborieuse, marquée par leur strict catholicisme, mais aussi par une joie de vivre et un goût pour la fête que favorisaient latinité et longs hivers. La vie quotidienne de cette nation conviviale me séduisait avec ses familles nombreuses, ses paroisses bien organisées, ses villages coquets, ses collèges classiques et ses coopératives agricoles et financières.

C'était une époque de solides certitudes et on ne voyait guère ce qui aurait pu manquer vraiment à ce peuple jeune encore, qui « grandissait en espérant ». J'aimais donc profondément ma patrie comme il est normal pour tout être humain d'être attaché à son coin de terre. Cela s'appelle le patriotisme : c'est le fondement de la solidarité nationale et de la volonté de progrès des peuples.

Puis vint, comme il se devait, le jour où j'ai dû regarder en face la réalité socioculturelle des Canadiens français, la piètre qualité de leur vie démocratique, leur marginalisation économique, l'obscurantisme dans lequel ils étaient plus ou moins entretenus, leur mentalité de vaincus et de perdants. Alors mon univers a basculé. La chère nation, que j'avais tendance à idéaliser, était en fait, presque à tous égards, dominée, colonisée, exploitée. Sa langue était menacée, sa vie collective semblait tournée vers le passé, aberrante, folklorique. Son niveau d'éducation, parmi les plus bas d'Occident, allait de pair avec une économie peu diversifiée, concentrée dans le secteur primaire. Son ouverture au monde, à l'exception de ce que lui apprenaient les missionnaires, était pratiquement nulle.

J'ai dès lors tourné le dos à jamais à cette résignation fataliste et à ce projet de survivance minimaliste, qui ne pouvaient convenir à des gens par ailleurs courageux, inventifs et doués d'un potentiel formidable. L'École historique de Montréal en démontrant quelles conséquences profondes avait eues sur nous la Conquête m'a fait comprendre, comme à bien d'autres, les vraies raisons de tous ces retards. Ses leçons ont été à l'origine d'un puissant effort collectif de réflexion sur les stratégies propres à corriger notre situation peu enviable. L'œuvre de ces historiens donna naissance à un nouveau courant de pensée qui allait bientôt dominer le Québec et modifier profondément le cours des choses. Je dois aux analyses de Michel Brunet et de ses collègues de m'avoir prémuni contre toute tentation de mépris pour les miens, alors que plusieurs penseurs de l'époque ne se privaient pas de traiter de haut les Canadiens français. Souvenons-nous du verdict définitif d'un de mes professeurs, Pierre Elliott Trudeau, qui écrivait : « Comment l'indépendance pourrait-elle donner du génie à un peuple qui n'en a aucun ? » Si la noirceur avait été si absolue, elle n'aurait pu faire jaillir toute la lumière qui viendra par la suite. J'ai, pour ma part, avec tant d'autres, compris alors que la seule voie courageuse consistait à renverser les effets de la Conquête, dans nos âmes et dans nos cœurs d'abord, et dans tous les aspects de notre vie collective ensuite. C'est ce désir de progrès et de changements salutaires que résumait le « Maîtres chez nous » des années soixante, qui sonnait, lapidaire et consensuel, le début de la Révolution tranquille.

Depuis ce temps, j'ai consacré l'essentiel de ma vie publique à chercher pour ma patrie un destin meilleur, qui en ferait un lieu où le bonheur serait possible dans la liberté et la dignité. J'ai toujours eu la conviction que nous en étions capables et je constate maintenant que nous y sommes parvenus dans une large mesure. Je pourrais retourner sa question à Pierre Elliott Trudeau et lui demander comment il se fait qu'une nation qui a su développer son génie propre, dans tant de domaines et mieux que bien d'autres, soit toujours privée de l'indépendance.

Les textes réunis ici illustrent les motivations, les bases intellectuelles et l'évolution de ce long combat pour la cause du Québec que j'ai mené avec des milliers de mes compatriotes. Cette lutte inachevée reste pour moi essentielle. Sans un statut normal d'État indépendant, tous nos progrès demeureront entravés, plus lents, plus difficiles et menacés. Dans plusieurs cas d'ailleurs, quand elles requièrent des pouvoirs législatifs supplémentaires, des moyens financiers plus importants ou une pleine participation au concert des nations, certaines avancées deviennent carrément impossibles.

Quoique l'indépendance nous fasse encore défaut, que de chemin parcouru quand même depuis le temps de ma jeunesse. L'analyse récente que dressait Jean-François Lisée, en s'appuyant sur de minutieuses études économiques et sociales, confirme le succès évident de cette entreprise de reconquête : « L'économie québécoise croît plus vite que l'ontarienne. Les Québécois ont un niveau de vie supérieur, s'enrichissent davantage et leur richesse est mieux répartie qu'ailleurs en Amérique. »

Ce constat n'a rien de surprenant. La moitié des exportations canadiennes de haute technologie provient du Québec. Notre économie est l'une des plus diversifiées du monde et l'une des plus tournées vers l'exportation. Notre taux de scolarisation est l'un des plus élevés des pays de l'OCDE. Les descendants des paysans marginaux d'autrefois sont présents dans tous les champs de l'activité économique moderne, y compris, bien sûr, en agriculture. Les anciens dominés ont renversé les rôles, et l'économie du Québec appartient à sa population, à titre individuel et collectif, dans une plus large mesure que ce n'est le cas en Ontario et dans le reste du Canada.

Notre culture, placée au centre de notre aventure nationale, rayonne partout dans le monde, dans ses aspects les plus populaires comme les plus élitistes. Chaque année, nous publions proportionnellement plus de livres, achetons plus de disques de chansons ou de musique classique, produisons plus de films, d'émissions de télévision, de pièces de théâtre que le reste du Canada et bien des pays occidentaux.

La nation québécoise a trouvé son nom et son véritable périmètre physique et humain. Elle s'est diversifiée du point de vue ethnique, mais elle est restée fidèle à sa langue et à ses racines. Même privée des moyens dont disposent les nations souveraines, elle tient un rang honorable dans le monde. Le Québec s'est approché considérablement de son idéal de société fraternelle, capable de créer la richesse, de la redistribuer et de favoriser pour tous ses membres la poursuite du bonheur.

Il est clair que tous ces succès seraient plus grands encore si nous étions maîtres de notre destin et contrôlions tous les leviers qui nous reviennent. Le simple bon sens comme les études les plus savantes le disent : une nation qui se gouverne elle-même, qui gère l'ensemble de ses moyens, réussit mieux qu'une nation reléguée à un statut minoritaire dans un ensemble dominé par d'autres. Nos pouvoirs législatifs déjà tronqués ont même été réduits sans notre consentement en 1982. Nos impôts et nos taxes prennent majoritairement la direction d'une autre capitale que la nôtre, créant ainsi un déséquilibre néfaste entre nos besoins et nos moyens. Des pans entiers de notre vie collective échappent toujours à notre contrôle. Pour toutes les nations du monde qui ont leur propre État, même lorsqu'elles sont moins puissantes et moins riches que la nôtre, une telle démission serait impensable.

Ce qui se fait de mieux aujourd'hui entre nations modernes implique aussi bien la souveraineté de chacune que la libre circulation des biens, des services, des capitaux et même des personnes. Cela se traduit par divers types de partenariat, comme celui de l'Europe de l'Ouest, qui est, selon moi, exemplaire. Pourquoi ne pas s'inspirer des meilleurs plutôt que de s'enliser dans un fédéralisme irrémédiablement bloqué dans lequel nous dilapidons une si grande part de nos énergies nationales ?

Sur les plans de la dignité nationale, de la sécurité politique et du rayonnement culturel, comme sur ceux, plus prosaïques et matériels, de la croissance économique et des budgets de l'État, comment peut-on soutenir que le Québec doive se contenter d'un statut de province, pareil à celui des autres provinces canadiennes ? C'est un non-sens !

Tout en respectant profondément les opinions divergentes, je ne comprends pas qu'on puisse se résigner collectivement à un tel déni de justice et de démocratie.

C'est pour réaffirmer tout cela que le présent ouvrage reprend le détail de mes convictions. Elles ont évolué, certes, mais sans jamais dévier de leur élan initial, qui non seulement est resté pertinent, mais l'est devenu davantage avec les années. L'indépendance est encore plus nécessaire aujourd'hui qu'au moment de la fondation du Rassemblement pour l'indépendance nationale, en 1960. La mondialisation rend l'État-nation plus indispensable que jamais, puisqu'il est la base obligée du dialogue organique entre les peuples, tout comme il est, depuis longtemps, celle de la solidarité entre les individus qui les composent.

Ces raisons fortes, exprimées de diverses manières dans les pages qui suivent, rendent compte de la puissance de cette tendance qui a mené les souverainistes de la marginalité en 1960 à 40 % des voix en 1980 et à 50 % en 1995. Cette force ne peut que continuer à s'affirmer jusqu'à l'accomplissement de notre destin national, mais à la condition impérieuse de poursuivre le combat. C'est pourquoi je consacre toujours à cet idéal et au progrès de mon pays l'essentiel de mes forces et je convie mes compatriotes à redoubler d'ardeur en ce sens. Quand j'ai commencé à me préoccuper du sort de cette nation que j'aimais, bien des choses lui manquaient, certes, mais ni le courage ni la détermination. Je crois profondément que nous possédons encore suffisamment des deux pour ne pas rater notre rendez-vous avec l'histoire. Les succès mêmes de notre Québec lui font une obligation de se joindre au plus vite, d'égal à égal, aux autres nations souveraines pour contribuer avec elles au progrès de l'humanité. Il faut que le Québec soit présent de plein droit en 2005, à Buenos Aires, afin d'éviter que l'intégration des Amériques, dont nous sommes la sixième puissance économique, ne se fasse sans nous.

Il faut presser le pas. Nous sommes prêts. Il n'y a aucune raison de différer ce choix majeur encore possible et qui est porteur de tant de ces changements dont nous avons besoin et dont nous aurons besoin de plus en plus pour nous adapter à notre temps. Nous avons le devoir de faire ce choix, dire oui au Québec, pour nous et nos enfants. Nous ferons ainsi progresser la liberté et la démocratie au sein de notre nation et dans le monde.

La souveraineté :
un incessant combat

La force d'un mandat du peuple

Contact Laval, *le 14 mai 1980.*

Dans quelques jours, nous pourrons enfin exercer, pour la première fois de notre histoire, notre droit de vote sur l'avenir constitutionnel du Québec. Nous n'avons jamais choisi en effet le régime constitutionnel dans lequel nous vivons actuellement. En 1867, au moment où le Parlement britannique a voté la loi qui a fait du Canada une Confédération, vos arrière-grands-parents, tout comme les miens, l'ont probablement appris avec des semaines, sinon des mois de retard, et sans avoir été consultés.

Cette fois-ci, pour la première fois, nous aurons notre mot à dire. Il s'agit d'un vote historique et nous devons y penser sérieusement avant de prendre notre décision. Avant de voter OUI ou NON, il faut bien comprendre la question qui nous est posée. Le gouvernement du Québec nous demande un mandat de négocier avec le reste du Canada une nouvelle entente basée sur l'égalité des peuples. Il n'est pas question de chambarder quoi que ce soit et, le 21 mai, rien ne sera changé. Si nous votons OUI, le gouvernement aura alors toute la force du peuple derrière lui pour se présenter à Ottawa et amorcer des changements constitutionnels. Il s'est engagé à ne réaliser aucun changement avant d'avoir, dans un second référendum, soumis le résultat de ces négociations au peuple. C'est d'ailleurs inscrit dans la question, en toutes lettres.

Aussi faut-il donner au gouvernement le mandat le plus fort possible. Il faut que tous ceux qui veulent débloquer la situation et faire avancer le Québec se mobilisent pour répondre un OUI massif à la question qui nous est posée. Déjà, les sondages nous indiquent que, chez les francophones, près des deux tiers vont voter OUI. Il en faut encore plus pour que notre volonté collective ne soit pas renversée par le groupe non francophone, qui lui, pour toutes sortes de raisons, dont plusieurs tiennent d'un blocage affectif, va voter de façon très majoritaire pour le NON.

Il nous faut un OUI massif pour ne plus tourner en rond comme il est arrivé à tous les gouvernements du Québec lorsqu'ils se sont présentés à Ottawa, et ce, depuis Honoré Mercier. Que ce soit sous Maurice Duplessis, Paul Sauvé, Jean Lesage, Daniel Johnson et même Robert Bourassa, toutes les tentatives d'obtenir des changements constitutionnels importants ont échoué jusqu'ici. M. Trudeau a eu treize ans pour réaliser une réforme en profondeur. Pourquoi la ferait-il si les Québécois votent NON ?

Ce n'est qu'avec l'appui massif du peuple que le gouvernement du Québec peut amener ses partenaires du reste du Canada à négocier sérieusement. Donnons-lui les moyens d'aller voir ce qu'il est possible d'obtenir de ces négociations, avec l'assurance que nous pourrons nous prononcer sur les résultats obtenus.

Le Québec en a besoin. Pour son développement. Pour sa dignité. Pour l'avenir de ses enfants.

Le PQ doit adopter la ligne de la fidélité, dans le respect absolu du rythme d'évolution du Québec

Lettre au premier ministre du Québec, M. René Lévesque, le 8 novembre 1984.

Monsieur René Lévesque,

En 1969, lorsque j'ai adhéré au Parti Québécois, c'est vous que j'ai averti le premier. Je fais de même aujourd'hui en vous communiquant ma position sur l'avenir du Québec et du parti que vous avez fondé. J'espère ainsi vous aider à tirer du présent débat la conclusion unificatrice des diverses tendances qui, à l'intérieur de notre parti, cherchent la meilleure solution pour le Québec.

En effet, je suggère aujourd'hui que notre parti adopte la ligne de la fidélité, mais dans le respect absolu du rythme d'évolution de notre peuple. J'ai tenté de faire en sorte que ma proposition soit acceptable aux tenants de la continuité mais en adéquation avec le temps présent.

Comme en 1969, je crois que vous êtes le mieux placé pour rassembler les gens et pour concilier les doctrines de même qu'au besoin les doctrinaires : surtout que j'ai l'assurance que dans ce débat chacun recherche la meilleure démarche pour atteindre un objectif identique.

La fidélité et la continuité

Rien dans ce qui est arrivé depuis 1969 ne m'indique que la voie tracée par vous dans *Option Québec* et adoptée avec lucidité et enthousiasme par tant d'autres n'était pas la bonne.

Au contraire, à la lumière des tendances affirmées depuis à l'intérieur du système politique canadien, la souveraineté-association nous aurait évité bien des mécomptes. Le statut de province – le mot dit bien ce qu'il veut dire et désigne aussi bien le Québec que l'Île-du-Prince-Édouard – n'est ni réaliste ni acceptable. En particulier au sein d'une entité fédéraliste qui possède le pouvoir illimité de dépenser, renforcé par la notion d'intérêt national et arbitrable dans tous ses aspects par une haute cour qui n'émane que de lui. Ces réalités, aussi claires que têtues, rendent de moins en moins crédibles les velléités d'épanouissement comme peuple distinct. C'est pourquoi d'ailleurs les gouvernements du Québec contemporain ont essayé d'augmenter les souverainetés québécoises. La démocratie canadienne, ce n'est pas un défaut, est fondée sur le droit. Vouloir échapper à ce fait par la pensée magique et la symbolique est le contraire de la sagesse et de la prudence.

Même dans la meilleure hypothèse de bonne foi fédérale – qui semble avoir cours présentement –, le gouvernement du « peuple distinct » ne reste qu'un gouvernement provincial. Quand, dans l'hypothèse plus sombre, un gouvernement central sectaire, agissant sans mandat du peuple et suivant la technique du coup de force, décide de municipaliser le Québec, le système aboutit au jeu de massacre. Même si l'« Assemblée nationale » à l'unanimité (moins neuf voix) s'oppose formellement. Ensuite la Cour suprême confirme légalement notre vulnérabilité.

Et il n'y a pas que la partie visible des choses. Notre expérience de gouvernants nous montre assez l'impact de ces milliers de décisions administratives quotidiennes, sans aucun aspect spectaculaire, qui érodent inexorablement dans l'ombre les pouvoirs du seul État contrôlé par les Québécois.

Les libertés individuelles

Vous avez raison cependant de penser et de dire, Monsieur le premier ministre, que le système n'est pas le « goulag ». Il respecte généralement à un haut niveau cette valeur première des libertés individuelles, et ses manques à ce sujet ne sont ni plus ni moins graves que dans les autres démocraties occidentales ou ne le seraient dans un Québec souverain. Je déduis de cela que l'attitude et la sémantique d'opposition à un tel système ne peuvent ni ne doivent ressembler à celles qui conviennent à la lutte contre une dictature. On doit confesser que le passé ne rend pas superfétatoire ce petit rappel.

La liberté collective

Cela dit, ce n'est pas à vous que je rappellerai que la liberté assurée pour chaque homme et chaque femme n'a jamais rendu désuètes les valeurs de rattachement collectif, d'appartenance, d'épanouissement d'un groupe humain ayant toutes les caractéristiques d'une nation. Le grand peuple américain, qui cultive la liberté individuelle à un haut niveau et d'une façon militante, n'a jamais conclu pour cela que son nationalisme devait être mis en veilleuse. Plus près de nous, les efforts massifs de propagande nationaliste canadienne démontrent assez que ce n'est pas sur la légitimité essentielle du nationalisme que les souverainistes se distinguent des fédéralistes mais bien sur le choix de l'objet.

Le respect du peuple et de l'adéquation au temps présent

Je me suis toujours méfié de ceux qui disent aimer le peuple tout en n'aimant rien de ce que le peuple aime. Le peuple dont il s'agit, il nous a dit non à 60 % au référendum, mais dans sa volonté complexe – il en est toujours ainsi – il a demandé aussitôt après à notre parti souverainiste de continuer à le prouver. Je crois que l'on peut en déduire à tout le moins que le peuple est en recherche. Le fait que la moyenne des sondages fait toujours osciller autour de 40 % le support à la souveraineté-association milite aussi dans ce sens. Il me semble ainsi évident que fermer le livre de l'option que nous défendons et illustrons depuis tant d'années serait le véritable manque de respect d'abord à cette large portion du peuple qui a déjà choisi la souveraineté et ensuite à cette autre portion qui est en réflexion.

Si l'humanité avait banni toutes les bonnes idées qui n'ont pas dépassé 41 % d'adhésion dans les vingt ans de leur formulation, il tombe sous le sens qu'elle serait figée à l'âge de pierre.

Contre le suicide politique

C'est précisément pour cela que les détenteurs d'une idée minoritaire valable n'ont pas le droit d'être suicidaires. Nous avons des élections dans moins de deux ans. Selon toute vraisemblance, les souverainistes ne sont toujours pas majoritaires. Cependant, il se pourrait fort bien que la population souhaite encore être gouvernée par un gouvernement souverainiste et progressiste élu par des souverainistes décidés et des nationalistes qui ne veulent pas revivre un gouvernement Bourassa et replonger dans l'atmosphère de 1975.

Vue sous cet angle, la phrase du dernier congrès – un vote pour un candidat du Parti Québécois est un vote pour la souveraineté – me semble bien antipolitique. Pourquoi rendre prématurément extrême la décision d'une population qui chemine ? Le référendum de mai 1980 a été admirablement bien vécu par notre peuple avec une maturité hors du commun, mais il a poussé à la limite la tension démocratique à l'intérieur même des familles. Il est prématuré de revivre un tel niveau de polarisation. La petite phrase tranchante et la mentalité qui la sous-tend doivent être exclues de notre idéal rassembleur et bannies du cheminement démocratique dont nous voulons convaincre patiemment la majorité de notre peuple.

Pour continuer à avancer

Le Québec a reculé politiquement en 1982. Une infime minorité s'en réjouit. Cela n'empêche pas le Québec de former *de facto* un peuple distinct depuis quelques siècles. Cela n'empêche pas non plus le peuple québécois de continuer sa marche en avant dans les domaines culturel, social et singulièrement économique par l'action conjuguée des entrepreneurs et les stratégies de l'État. De même l'ouverture sur le monde se poursuit inexorablement et quasi unanimement supportée par la population.

Ce qu'il faut maintenant, c'est que la réalité juridique évolue dans le même sens que le reste en s'appuyant sur un consensus qu'un pouvoir central non sectaire ne saurait récuser.

Les enjeux de la prochaine élection :
réparation des torts et compétences exclusives

En matière nationale et constitutionnelle, à la prochaine élection, il faut convier la population à appuyer :

1) la réparation de l'injustice historique de 1982, notamment par la reconnaissance dans la Constitution du Canada suivant les conditions de l'Assemblée nationale :
   a. de la réalité juridique du peuple québécois et de son droit à l'autodétermination ;
   b. du droit du Québec à rejeter pour lui-même tout amendement constitutionnel, y compris ceux de 1982, sans être pénalisé financièrement ;
   c. d'un droit de veto sur la réforme des institutions centrales ;

2) la recherche négociée de la compétence exclusive du
   Québec dans les domaines suivants :
   a. le développement économique interne et le déve-
      loppement régional ;
   b. la politique sociale ;
   c. les relations internationales découlant des juridic-
      tions internes ;
   d. l'éducation et la culture.

Cette façon de voir, que je vous soumets, Monsieur le premier ministre, suppose de douloureux compromis stratégiques que je m'impose non sans peine. Mais il me semble que c'est à ce prix que s'est bâti cet instrument démocratique qu'est le Parti Québécois et que c'est à ce prix qu'il survivra pour conduire le Québec vers le statut qui lui convient.

Il va de soi qu'un effort de compromis ne peut lui-même être figé dans la rigidité et c'est dans cet esprit que je continuerai à participer au débat.

La nécessaire souveraineté

Texte cosigné par Jacques Parizeau,
Pauline Marois, Robert Dean, Gilbert Paquette,
Denise Leblanc-Bantey, Camille Laurin, Denis Lazure,
Bernard Landry, Guy Tardif, Jacques Léonard,
Marcel Léger et Louise Harel,
Le Devoir, *le 10 novembre 1984.*

Nous avons cru et, l'expérience du gouvernement pendant les huit dernières années aidant, nous continuons de croire que la souveraineté du Québec, dans le cadre d'une association économique avec le Canada, est l'instrument privilégié du développement économique du Québec, de sa capacité d'accéder à une plus grande justice sociale et à un épanouissement culturel normal.

Après plus de vingt ans de progrès spectaculaire, la société québécoise a besoin de la souveraineté pour relever les défis de plus en plus exigeants qu'on lui présente. Nous savons, à l'intérieur des pouvoirs existants, comment relever d'une récession. Les entreprises du Québec ont appris à conquérir des marchés de plus en plus étendus. Les syndicats ont montré qu'ils pouvaient accepter une attitude d'ouverture et non pas de repli. Les Québécois, individuellement, se sont orientés vers le monde extérieur comme jamais dans leur histoire.

Pour progresser jusqu'à l'adhésion d'une majorité de la population, le projet souverainiste doit s'enraciner dans les besoins et les préoccupations des Québécois et des Québécoises. La souveraineté du Québec n'est pas seulement une question juridique et constitutionnelle, mais économique et sociale.

Nous ne pouvons relever le défi d'atteindre le plein-emploi avec des chances raisonnables de succès sans les pouvoirs dont peuvent disposer ces sociétés, qui, elles, y sont arrivées. Nous ne pouvons aspirer à une correcte protection des plus démunis tout en privilégiant cette incitation au travail qui reste le fondement du fonctionnement de notre société sans récupérer les droits à la taxation et à la distribution des revenus que toute société doit avoir. Nous ne pouvons régler des problèmes précis, comme par exemple celui de relancer les pêcheries au Québec, ou celui d'accroître substantiellement les retombées de l'industrie automobile, sans disposer des pouvoirs nécessaires ; de même ne pouvons-nous mettre de l'avant des projets avant-gardistes comme celui de faire de Montréal un centre financier international.

La souveraineté du Québec est pour nous un instrument d'expansion, non de repli.

Le congrès du Parti Québécois a décidé qu'un vote pour le Parti Québécois à l'occasion de la prochaine élection serait un vote pour la souveraineté. En pratique, pour la très grande majorité des électeurs, depuis 1970, c'est ce qui s'est produit. On pouvait donc considérer cette proposition comme banale. On a choisi, chez certains, d'en dramatiser la signification.

Soit. Puisque l'on veut faire un drame de ce qui est une constatation, nous acceptons que l'on en oublie la lettre sinon la portée que certains lui prêtent. Cela ne change rien au fond de la question.

Le prochain scrutin s'agencera et doit s'agencer inévitablement autour d'une perception que la souveraineté du Québec consiste, secteur par secteur de notre vie personnelle et collective, à aller plus loin que nous n'avons pu le faire jusqu'à maintenant et cela, ultimement, jusqu'à l'obtention des pleins pouvoirs.

Sans doute faut-il se limiter, dans l'état actuel des choses et de l'opinion, à démontrer comment, un élément de souveraineté après l'autre, le principe même que nous défendons est susceptible d'améliorer la vie de nos concitoyens.

Sans doute aussi serions-nous peu sages de ne pas reconnaître que l'ouverture du gouvernement nouvellement élu à Ottawa pourrait permettre de corriger ce que le précédent gouvernement a imposé aux Québécois contre leur gré. Il n'y a pas de raison de rechercher un climat de tension avec le reste du Canada. Encore faut-il reconnaître que, même dans l'hypothèse d'une indiscutable bonne foi fédérale, le gouvernement d'un peuple reconnu comme distinct ne reste qu'un gouvernement provincial.

Il faut donc continuer à discuter avec nos concitoyens des avantages que présente la possibilité de décider, individuellement et collectivement, de nos propres affaires, de notre présent et de notre avenir.

Le PQ, les enjeux du 19 janvier, et après...

Le Devoir, *le 18 janvier 1985*.

Il n'y a apparemment plus personne – sauf quelques tenants d'un « courage » aussi admirable que difficilement imitable – qui souhaite que la prochaine élection porte sur la souveraineté du Québec.

Cela aurait pu être l'enjeu du 19 janvier. Mais, dès le début du débat, il fut écarté par presque tous les intervenants. Le groupe des Laurentides convenait comme les autres que la question était réglée : le Québec ne risquerait pas de « se dire non une deuxième fois ».

Normalement tout aurait pu en rester là : la raison, la stratégie, les motifs nobles et les autres avaient spontanément fait leur œuvre et prévalu.

Et pourtant, c'est après cet important consensus qu'un prix énorme en hommes et femmes de l'équipe ministérielle fut payé, et beaucoup plus cher qu'il ne fallait. On spéculera longtemps sur ce gâchis absurde entre gens qui, sur le principal, s'entendaient en apparence...

Au congrès du 19 janvier, le choix doit donc se faire au-delà des apparences et entre ce qui divise encore des gens de bonne foi qui ne paraissent pas si loin les uns des autres.

Le texte des diverses résolutions n'aide guère : les articles intouchés du programme, la déclaration fondamentale, complétés de diverses manières par les nouveaux textes, établissent clairement que le Parti Québécois était, est et restera souverainiste. Que reste-t-il donc à décider ? Des choses aussi simples que lourdes de conséquences.

1) Doit-on mettre la stratégie d'un parti d'idées, qui n'a jamais rien gagné que de haute lutte, dans son programme électoral ? Si on répond non à cette question comme je le fais moi-même sans équivoque, il faut appuyer les résolutions de l'exécutif national.

2) Doit-on présenter à l'électorat des choix clairs ou essayer de l'induire à accepter indirectement ce que l'on jure ne pas vouloir faire directement ? Tout bon démocrate respectueux de la volonté populaire ne voudra jamais la tromper sciemment et prendra des précautions pour qu'elle s'exprime en toute connaissance de cause. Encore une fois, c'est la résolution de l'exécutif national qui de ce point de vue a le plus de mérite, ceci dit sans mépris pour les autres orientations respectables.

3) Est-ce que l'argumentation souverainiste sera bannie du discours péquiste quel que soit le résultat du 19 ? Bien sûr que non. J'ai déjà entendu à plusieurs reprises « d'ardents modérés » galvaniser les militants en appelant à l'action souverainiste et je ferais le pari que celui qui irait le 19 janvier prôner le silence souverainiste n'aurait au PQ qu'un présent misérable et aucun avenir.

Voilà succinctement présentés les enjeux qui ressortent des textes. Minces au point que le congrès, s'il ne comportait un autre enjeu, serait un non-événement. Une perte de temps.

Or donc, il doit y avoir un autre enjeu. Le plus important, celui qui a le plus conditionné les assemblées de comté, celui qui a le plus mobilisé, celui qui – cela pourrait être étudié plus en détail – a réellement causé les dégâts énormes dont j'ai parlé. Il a un nom : la méfiance envers la pureté des intentions souverainistes de certains.

Cet enjeu-vedette du 19 janvier, il culmine sa carrière tourmentée commencée au premier congrès du PQ et poursuivie avec des fortunes et une virulence diverses de congrès en conseils nationaux.

À chaque fois depuis, et inclus le congrès de fondation, la base du parti, comme elle s'apprête selon toute vraisemblance à le faire de nouveau, a réglé ses doutes de la même façon : elle a fait confiance à René Lévesque, à son long et indiscutable combat québécois, à son instinct de rassembleur ardent et lucide. Personnellement, c'est ce choix que je ferai le 19 janvier pour la énième fois et pour les mêmes raisons qu'avant. [...]

Cela dit, c'est l'après-19 janvier qui, comme l'avenir, va durer longtemps, doit mobiliser toutes les énergies pour réparer dans la mesure du possible les dégâts de la crise, en maximiser les côtés positifs et, je le dis à la manière d'une exhortation *que je me permets de réitérer*, garder dans les rangs du parti les hommes et les femmes que les événements ont heurtés. À ces amis de la longue route, je fais remarquer que le congrès n'aura nullement conclu que le régime fédéral actuel nous devient acceptable. Ses vices profonds demeurent les mêmes. [...] Tout ce qui a changé depuis le tremblement de terre du 4 septembre, ce sont les hommes et les femmes qui exercent le pouvoir fédéral. Leur esprit d'ouverture nous permet d'espérer des changements qui iraient dans le sens de la reconnaissance de la pleine maturité du peuple québécois. Un des résultats du congrès vise donc à donner l'occasion à la nouvelle équipe fédérale de prouver qu'elle veut véritablement changer le régime dans le sens qui nous convient.

Comme je l'écrivais au premier ministre le 8 novembre dernier, ces changements devraient essentiellement comporter deux grands objectifs.

Premièrement, la réparation de l'injustice historique de 1982, notamment par la reconnaissance dans la Constitution de la réalité juridique du peuple québécois et de son droit corollaire à l'autodétermination, de même que le droit de retrait pleinement compensé et le droit de veto sur les institutions fédérales.

Secondement, la recherche de la compétence exclusive du Québec sur le développement économique interne et régional, la politique sociale, les relations internationales découlant des juridictions internes et enfin l'éducation et la culture.

Si la nouvelle équipe fédérale se montrait irrésolue ou incapable de modifier le régime constitutionnel dans ce sens, il redeviendrait évident qu'un changement d'hommes est insuffisant pour rendre le régime acceptable. En un mot, si les aspirations du Québec peuvent être satisfaites par un changement fondamental du régime constitutionnel canadien, la preuve en incombe à la nouvelle équipe fédérale. Donc, en toute justice, nous lui donnons l'occasion de faire cette preuve, nous y collaborons en toute bonne foi, *mais nous nous réservons le droit absolu de juger l'arbre à ses fruits.* Il est clair que c'est également l'état d'esprit actuel de notre peuple.

Car, en définitive, ce dont il est question, c'est de trouver le statut constitutionnel convenable et les garanties qui maximiseront les chances des Québécois de se développer et de s'épanouir comme nation autant sur ce continent que dans le monde. En fait, la certitude de posséder les moyens:

1) d'assurer de façon durable et solide la défense et l'épanouissement de la langue française en Amérique du Nord;
2) de permettre aux jeunes, dans le respect de leurs valeurs, de participer pleinement à la vie collective;
3) de consolider l'exercice des droits des femmes, particulièrement, et aussi des minorités qui enrichissent le Québec;
4) d'atteindre un développement économique harmonieux et civilisé dans ses effets sociaux.

Nous devons croire, avec le peuple, qu'une entente constitutionnelle respectant les grandes orientations que j'ai esquissées plus haut répondrait aux véritables besoins des Québécois et Québécoises pour maintenant.

Cependant, ce faisant et pour la suite, le Parti Québécois doit demeurer le parti de l'audace, du « beau risque ». Car, quelle que soit l'issue de la démarche que nous entreprenons, il demeure trop de choses à modifier, trop de réformes à faire pour que nous nous figions dans les années soixante et soixante-dix. La situation nouvelle commande impérieusement

l'audace. Il ne faut absolument pas que les Québécois, lorsqu'ils se retrouveront aux urnes, aient un choix impossible
ou pas de choix du tout. C'est le contraire du conservatisme
qui nous commande aujourd'hui ce pari sur le discours de
Sept-Îles et sa possibilité « d'honneur et d'enthousiasme ».

*Mais autant il est souhaitable que le Parti Québécois décide
de ne pas se lier les mains en faisant porter la prochaine élection
sur la souveraineté, autant il serait absurde et irresponsable de se
commettre aveuglément dans une élection centrée sur le néofédé-
ralisme qui peut faire rêver certains.*

C'est essentiellement pour participer à ces choix majeurs,
plus importants encore que ceux du 19 janvier, qu'aucun
souverainiste ne devrait quitter le PQ. Il faut que ceux qui
songeraient à partir restent pour récolter les fruits de l'action,
garder hautes les exigences du Québec et les porter plus haut
encore lorsque nos efforts démocratiques et le temps auront
amené notre peuple à voir les choses ainsi.

Je suis souverainiste et progressiste

Déclaration lue lors de l'annonce de la candidature à la présidence du Parti Québécois, le 3 juillet 1985.

Je suis souverainiste et progressiste. Je le suis depuis mon tout premier engagement politique, il y a près de vingt-cinq ans. Et cela me semble plus important encore aujourd'hui qu'hier. Le Parti Québécois s'est construit sur ces idéaux. Il les a défendus depuis 1968 et il doit continuer à le faire. Ouvertement. Généreusement. Il doit demeurer le parti de la liberté – de la modernité – et de la justice. Le parti de la franchise aussi. Il le doit à cette droiture, à cette honnêteté que René Lévesque incarne depuis un quart de siècle dans notre vie politique.

Notre option a déjà radicalement modifié les choses. Ce *pays réel* qu'est le Québec n'est plus, ne sera jamais plus ce qu'il a été. Il n'est plus et ne sera jamais plus une province – repliée sur elle-même. La confiance, qui nous anime tous, l'interdit. Elle interdit tout retour à quelque forme que ce soit d'« autonomie provinciale ». Ce succès même nous oblige pourtant à repenser – à redéfinir – l'option Québec. Nous devons le faire en toute lucidité. En toute sérénité. En conciliant notre idéal et la volonté actuelle du peuple québécois. C'est cela la politique. C'est cela la démocratie.

Je suis souverainiste. C'est le premier terme.

La liberté s'exerce. La souveraineté aussi. Et cet exercice est beaucoup plus important que n'importe quelle structure juridique. Le référendum du 20 mai 1980 a constitué un acte de souveraineté. Les demandes actuelles du gouvernement en constituent un autre. Les négociations avec le gouvernement fédéral et avec les gouvernements des provinces en constitueront un également. C'est librement que nous devrons négocier. C'est librement que nous devrons partager des pouvoirs. Et ce partage devra se faire au nom des besoins et de la volonté d'une majorité de Québécois. C'est vrai aujourd'hui. Ce le sera demain. Nos partenaires doivent le comprendre. Car c'est la condition première de « l'honneur » et de « l'enthousiasme ».

Je tiens à être très clair. Il n'est pas question de revenir sur les décisions du congrès spécial de janvier 1985. La prochaine élection ne portera donc pas sur la souveraineté juridique du Québec. C'est une simple question de respect, et de démocratie.

Le choix d'un président doit pourtant nous permettre de clarifier et notre action et notre discours. Et l'élection qui suivra doit nous permettre de négocier en position de force. En toute bonne foi : donc au nom du peuple québécois. Car ce peuple existe. Et il est, par définition, libre de ses décisions.

Je suis progressiste. C'est le second terme.

L'État n'est pas une chose abstraite. C'est un instrument – ce n'est qu'un instrument, au service des citoyens, et qui doit constamment leur rendre des comptes et qui doit favoriser par-dessus tout leur liberté et leur épanouissement.

Notre bilan est, à ce niveau, positif. La population du Québec est mieux instruite, mieux soignée, mieux logée que jamais. Et elle est plus prospère que jamais. Notre économie était « étrangère » il y a dix ans. Elle est aujourd'hui québécoise. Et elle le sera davantage demain. Elle est dynamique. Et elle le sera davantage demain. Cela, on le doit en bonne partie aux interventions de l'État. Notre parti n'est pas seul en cause, mais il y a contribué plus que tout autre. Et il doit continuer à le faire.

Cet État, il faut le défendre. Il faut se mobiliser, et mobiliser, contre ce retour en force des privilèges que constituerait l'élection de Robert Bourassa et de ses libéraux. Cet État, il faut aussi l'ajuster au *pays réel*. En faire un instrument plus humble, mais aussi plus humain. Donc attentif et disponible à ses partenaires des secteurs privés et coopératifs sur qui, de plus en plus, repose le dynamisme de notre économie.

Cet État, on ne peut plus lui demander des milliards de dollars. Il ne pourrait les avoir qu'en les puisant dans nos poches, à chacun de nous. On peut cependant, on doit cependant lui demander de stimuler puissamment la croissance. Il doit devenir un instrument de prospérité – disons le mot : un instrument de richesse. Pour tous et toutes un instrument de liberté. Pour tous et toutes.

C'est sous cette double étiquette – de souverainiste et de progressiste – que je pose aujourd'hui ma candidature à la présidence du Parti Québécois. […]

Je pose ma candidature parce que j'ai confiance dans ce parti que nous avons bâti ensemble. Dans ce seul parti qui appartient à tous les Québécois et à toutes les Québécoises. Et je le fais parce que j'ai confiance dans ce *pays réel* qu'est déjà le Québec. Une confiance inébranlable.

Ce pays est libre et prospère. Il le sera davantage si nous le voulons ensemble. Il sera souverain le jour où une majorité de nos concitoyens en ressentira le besoin. Le jour, moins éloigné qu'on ne le croit, où une majorité de nos concitoyens et de nos concitoyennes partagera notre rêve.

La vie réelle plutôt que le laboratoire...

La Presse, *le 10 octobre 1985*.

À la suite de nombreuses consultations menées à Laval et ailleurs, suivies d'une rencontre déterminante avec le premier ministre, j'ai pris la décision de rester candidat du Parti Québécois aux prochaines élections. Mes raisons sont simples et se résument ainsi :

Je suis un homme de parti et de ce fait j'accepte les décisions majoritaires qui s'y prennent même si elles ne sont en tous points conformes à mes vœux et pourvu qu'elles soient compatibles avec ma conscience. C'est manifestement le cas de l'élection du chef, bien entendu, de même que des décisions du dernier congrès. Ce parti m'appartient comme à des milliers d'autres et je ne vois pas pourquoi je l'évacuerais parce que toutes mes idées n'y sont pas majoritairement partagées maintenant.

Malgré mon respect pour l'action groupusculaire souvent courageuse, je ne crois pas qu'elle soit le meilleur instrument pour faire avancer le Québec présentement. J'aime mieux militer au sein d'un grand parti que j'ai contribué à fonder et avec lequel j'ai connu échecs et succès : je ne veux pas passer ma vie à fonder des partis tant que celui auquel j'appartiens, et qui est un merveilleux instrument démocratique, me donne assez d'espoir et de motivation pour que j'y reste.

Je suis prêt à accepter les délais imposés par la démocratie elle-même dans la réalisation du testament politique de

René Lévesque pour « un pays complet et reconnu », et je crois plus utile de travailler à l'intérieur du parti qu'il a fondé pour suivre la voie qu'il a tracée que dans une pureté idéologique certes valable, mais qui tient plus du laboratoire que de la vie réelle d'un peuple.

Il m'apparaît important de travailler à la réélection du Parti Québécois pour la sauvegarde des acquis : reprise en main et succès économiques, progrès social, ouverture sur le monde, sécurité culturelle et linguistique.

En matière constitutionnelle je crois important de pouvoir contribuer directement au contenu de la négociation et de faire valoir mes points de vue au sein d'une équipe démocratique de gouvernement.

Je crois important de bloquer la voie du pouvoir à un Parti libéral qui a raté son renouveau tant au niveau des ressources humaines qu'à celui des idées. Je crois en particulier que le nouveau premier ministre du Québec incarne beaucoup mieux ce que veut la population que celui qui le fut de 1970 à 1976.

Enfin, sur le plan humain, la profonde sympathie et l'amitié qui m'unit aux militants et aux militantes, tout spécialement à Laval, autant qu'aux parlementaires m'incitent à rester dans la lutte à leurs côtés avec ténacité et patience dans la poursuite de notre idéal commun.

Non à l'accord de Charlottetown

La Presse, *septembre-octobre 1992*.

Le brouillon de Charlottetown

Sur quoi allons-nous voter le 26 octobre ? On aura beau ergoter à n'en plus finir sur le sens du OUI ou du NON et sur les conséquences de l'une ou l'autre option, il reste que le cœur du débat, c'est l'accord de Charlottetown lui-même, aussi bien ce qu'il contient que la façon dont il a été conclu et la forme sous laquelle il nous a été transmis.

Le consensus gaspillé

D'abord, le négociateur du Québec, M. Robert Bourassa, a dilapidé tout au cours du processus le plus formidable rapport de force jamais confié par la population à l'un de ses premiers ministres. René Lévesque lui-même, en 1981, aurait rêvé d'avoir en main la moitié du consensus établi par la commission Bélanger-Campeau.

Qu'on se souvienne de la longue série de mémoires circonstanciés venant de tous les horizons de la société pour appuyer solidement nos demandes traditionnelles, surtout au chapitre des pouvoirs. Le Parti libéral n'était pas en reste, avec son rapport Allaire. Le premier ministre lui-même a complété le tout d'une rhétorique aux telles apparences de courage et d'audace que la majorité de la population, incluant votre humble serviteur, s'y est laissé prendre. Nul n'a oublié ni la question de Bruxelles et ses «deux États souverains» ni la «superstructure». Ainsi bardé, notre négociateur, malgré un passé médiocre en ces matières qui aurait dû nous rendre méfiants, ne pouvait pas ne pas gagner et gagner beaucoup.

L'invraisemblable est pourtant arrivé. Celui qui ne voulait plus d'une table à onze et d'un processus multilatéral «discrédité» s'est soudain retrouvé siégeant au milieu de seize autres, à essayer de rattraper en marche un train qui avait roulé sans lui des centaines d'heures, à devoir accepter et louanger ce qui naguère était vigoureusement dénoncé comme «fédéralisme dominateur».

Point n'est besoin de violer quelque injonction pour savoir que cette négociation fut une longue déroute pour Robert Bourassa. Toutes les chroniques, parmi celles qu'on a le droit de lire, en ont fait le constat. M. Bourassa a fini par accepter moins que ce qu'on s'était d'avance résigné à lui donner. Il a détruit lamentablement trente ans d'efforts collectifs, par maladresse, incapacité ou négligence. Non seulement il n'a pas atteint le résultat souhaitable et possible, mais il ne s'est même pas acquitté honorablement de son «obligation de moyens». Il revient les mains vides, maquillant en triomphe un échec lamentable constaté dans un simple brouillon.

Un relent de fraude

Car c'est bien d'un brouillon qu'il s'agit. On nous demande de voter sur un simple compte rendu de réunion à huis clos, sur la description sommaire d'une «entente de principe» encore vague à souhait, un texte rempli d'imprécisions, fait à la va-vite et sur le sens duquel les participants à la discussion se posent encore une foule de questions tout en échangeant des lettres soi-disant clarificatrices de points «définitivement» réglés.

Les avocats d'Ottawa sont encore ces jours-ci à changer le document, et ceci sur au moins quatre ou cinq points majeurs. Accord mal formulé, dont seules quelques-unes des clauses sont écrites dans le langage juridique.

À des gens qui aiment citer l'Europe en exemple, il est bon de rappeler que des dizaines de millions d'électeurs et électrices en France ont eu en main le texte intégral du traité de Maastricht qui, pour vital qu'il soit, n'est quand même pas celui de la constitution de leur pays.

Les juristes disent *fraus omnia corrumpit* («la fraude gâche tout»). Or, il y a des relents de cela autour et alentour de ce malencontreux arrangement. Je m'explique : en matière constitutionnelle, transparence, rigueur et honnêteté ne sont pas facultatives. Le respect élémentaire des coconstituants l'exige.

Or le négociateur du Québec, sur un point majeur et central, n'a pas eu cette franchise. En effet, le Québec n'est pas une «société distincte». C'est un peuple, une nation. Cette simple vérité consensuelle, inscrite en noir sur blanc dans notre histoire autant que dans le rapport Bélanger-Campeau, ne se retrouve pas dans le texte proposé. Pourtant, Robert Bourassa, dans ses discours à usage interne, parle du peuple du Québec. Ses ministres et conseillers aussi. Même le président du PLQ a parlé au dernier congrès, sans aucun lapsus décelable, de l'« affirmation nationale du Québec » (*sic*).

Quand on négocie au nom d'un peuple et d'une nation, on doit avoir l'élémentaire décence de le dire à l'interlocuteur ; autrement, cela revient à négocier avec un masque. Il est bien connu que cela ne peut mener nulle part.

Une perte nette de pouvoirs

Les alarmes de la Banque Royale et les gestes déchirants du premier ministre du Canada ne nous aident pas à nous concentrer sur le cœur du débat, mais nous n'avons pas à les suivre dans l'incivisme. Il faut parler du fond de l'Accord et en particulier du partage des pouvoirs au sujet duquel M. Bourassa, contre toute logique, nous parle de « gains » !

D'abord, pourquoi plus de pouvoirs pour le Québec ? La question m'a été posée encore hier. Tout simplement parce que nos gouvernants québécois sont responsables de la gestion du bien commun non d'une simple province, mais d'un peuple, d'une nation, contrairement à ce que dit faussement un article de la « clause Canada » qui pose en principe l'égalité des provinces. Ni l'Île-du-Prince-Édouard ni la puissante Ontario n'ont à assumer de telles fonctions « nationales » : des assemblées législatives leur suffisent.

Ainsi, tous les gouvernants québécois contemporains, sauf ceux d'Adélard Godbout et, depuis un mois et demi, de Robert Bourassa, se sont battus pour contrer les empiétements fédéraux incessants et tenter d'obtenir les nouveaux outils indispensables pour faire face aux responsabilités d'un État national moderne.

Cette dynamique est si forte qu'elle supplante les lignes partisanes. On a vu et on voit encore des ministres québécois ultrafédéralistes se battre comme des chiffonniers contre leurs homologues du gouvernement central dans d'éternelles disputes de pouvoir aux frais des contribuables. Le très fédéraliste Parti libéral a naguère cru au livre beige de Claude Ryan ; il a toujours le rapport Allaire comme programme constitutionnel officiel. Si même lui a mené de telles luttes de pouvoir, il est facile d'imaginer les efforts déployés dans ce sens par les formations plus nationalistes qui ont dirigé le Québec pendant pratiquement les trois quarts du dernier demi-siècle.

Même sous l'angle pragmatique et fonctionnel de la bonne gestion, le partage clair des responsabilités et la mise en œuvre du fameux principe de subsidiarité constituent pour le Canada tout entier une tâche urgente, si on veut enfin agir utilement au chevet d'une économie exsangue. Sans être l'unique facteur de l'actuelle déconfiture, les déficiences structurelles ne sont pas étrangères à la détresse de nos 800 000 chômeurs et assistés sociaux.

S'écraser ou pas

Ces deux aspects de la question illustrent l'ampleur du dramatique fiasco estival de Robert Bourassa : il a raté le butin de Duplessis tout autant que le « Maîtres chez nous » de Lesage. René Lévesque en 1981, pathétiquement dépourvu de rapport de force, a quand même négocié au nom d'un peuple. Et il n'a pas signé, solidement appuyé dans ce veto par l'opposition officielle. Personne n'a pu dire de René Lévesque qu'il s'était écrasé, ni ses adversaires ni encore moins ses proches conseillers.

Résultat net cette fois-ci : aucun nouveau pouvoir, comme le martelait courageusement Jean Allaire au Congrès libéral de la fin d'août. Pire : plusieurs des pouvoirs « exclusifs » de 1867 récupérés par le fédéral qui, feignant de les évacuer, ne fait que donner une assise juridique inédite à ses invasions passées et futures.

C'est l'article 30 sur la forêt, assorti comme quinze autres du fatidique astérisque (signe qu'il reste des choses à négocier), qui établit la méthode de cette invasion déguisée en « transfert de pouvoirs » et que M. Bourassa comptabilise dans ses trente et un gains. Il y est dit essentiellement que cette compétence devrait être exclusive aux provinces et qu'il conviendrait qu'elles y puissent limiter le pouvoir direct d'Ottawa d'y dépenser.

Cependant, pour arriver à mettre en pratique cette généreuse évacuation d'un pouvoir que nous avons déjà en exclusivité depuis cent vingt-cinq ans, il faut d'abord passer par les ententes bilatérales. Ces dernières sont justiciables, arbitrées intimement par la Cour suprême. Il faut en plus convenir avec Ottawa d'un transfert de ressources financières.

Imaginons que le tout doive se discuter avec un Clyde Wells comme premier ministre du Canada. Quoi qu'il en soit, si jamais on y arrivait, il faudrait reprendre cette pénible négociation périodiquement, car, dit le texte, « ce mécanisme ne pourra être invoqué pour une période de plus de cinq ans ». Cette même procédure « légère » est généreuse-ment étendue aux secteurs des mines, du tourisme, des loi-sirs, des affaires municipales et urbaines et du logement. Pour faire bonne mesure, l'article ajoute que « la question du ser-vice à fournir au public dans les deux langues officielles devrait aussi être considérée comme un élément possible de ces ententes ».

Le pouvoir de dépenser

Comme la plupart des empiétements historiques se sont faits par le pouvoir de dépenser, on pourrait croire que M. Bou-rassa a au moins tenté de colmater la brèche et donc s'atten-dre à des « gains » à cet égard. C'est le contraire qui arrive. On donne une absolution générale pour le passé. Ce qui est fait est fait et l'on rend légitime pour la première fois le pou-voir fédéral de dépenser dans des champs exclusifs au Qué-bec. Pour s'y opposer, celui-ci devrait mettre lui-même sur pied une initiative compatible avec les objectifs nationaux. Par la suite, Québec aurait à rentrer dans un cadre établi par les onze premiers ministres et revu annuellement. Où est le « gain » et pour qui ?

Le bruit, et parfois la fureur, de la campagne référen-daire nous fait oublier les fondements de toute l'opération : réparer l'outrage de 82. À cette époque, on sait que le Qué-bec a perdu beaucoup de pouvoirs, le gouvernement fédéral aussi d'ailleurs, au profit de la Cour suprême.

Ce que Robert Bourassa a consenti à perdre cet été doit s'ajouter à ce que le Québec a perdu contre son gré par le rapatriement unilatéral il y a dix ans et qui ne lui est nulle-ment rendu par l'Accord. En soi, l'été a été assez mauvais pour que l'on dise NON. Si l'on y ajoute ce qu'on nous demande aussi d'avaliser, comment peut-on encore hésiter ?

Trois drapeaux fleurdelisés

Trois beaux drapeaux du Québec ornent la publicité du OUI. Celui du Canada brille par son absence. De quel pays, aux dix provinces égales, nous demande-t-on de « renouveler » la constitution ? Il y a là un malentendu, pour ne pas employer un mot plus fort, qu'on semble vouloir entretenir jusqu'au 26 octobre. C'est une technique de vente qui convient d'ailleurs parfaitement au contenu de la « mésentente » de Charlottetown et aux efforts cosmétiques auxquels ses défenseurs en sont réduits.

En effet, le texte de l'Accord lui-même est un modèle de ce genre d'ambiguïté. Prenons ses dispositions sur la culture, qui commencent par la phrase sacramentelle suivante : « Les provinces devraient avoir compétence sur les questions culturelles sur leur propre territoire. » Si on croit voir poindre la « souveraineté culturelle » jadis chère à Robert Bourassa, la déception sera grandiose. D'abord, cette territorialité lourdement affirmée (on la réitère plus loin) constitue de fait une attaque frontale contre la doctrine Gérin-Lajoie du prolongement à l'étranger des compétences internes du Québec. Ce n'est donc pas en se basant sur cet article que le Québec pourrait espérer participer à l'Unesco. Au contraire, un contribuable excédé ou un premier ministre du Canada buté et mesquin (des noms ?) pourrait s'en servir pour tenter de faire déclarer *ultra vires* notre participation à l'Agence de coopération culturelle et technique, fer de lance de la Francophonie.

La phrase qui vient ensuite nous rapproche de l'absurde : « Le gouvernement fédéral continuerait d'avoir des responsabilités touchant les questions culturelles canadiennes. » Sans les définir, bien entendu. Beau débat que de savoir, mis à part les préférences personnelles prévisibles des intéressés, si l'œuvre de deux Québécois, Gilles Vigneault et Mordecai Richler, appartient à la culture québécoise ou canadienne, ou si Margaret Atwood écrit canadien ou ontarien.

Où est la substance ?

Plus loin viennent les choses sérieuses. On écrit que « le gouvernement fédéral devrait conserver des responsabilités à l'égard des contributions et subventions ». En clair, on nous transfère les responsabilités de la culture à l'exception de la radio, de la télévision, du cinéma, des musées nationaux et des subventions aux artistes et aux institutions culturelles. Et si vous pensez que ce qui reste est à vous sans autre formalité, vous êtes encore trop optimistes.

En effet, après ces « largesses », le gouvernement fédéral « s'engage à négocier avec les provinces des ententes culturelles qui visent à leur assurer la maîtrise d'œuvre (*sic*) de la culture sur leur territoire [encore] et qui s'harmonisent avec les responsabilités fédérales ». Bref, on ne nous donne rien, on nous enlève beaucoup et on nous offre par-dessus le marché de négocier l'harmonisation de l'indigence restante.

Vu sous l'angle budgétaire, tout cela est encore plus navrant. Les budgets fédéraux en matière de culture sont de 640 millions de dollars par an, dont 550 millions transitent par les organismes fédéraux qui ne sont pas touchés par l'entente (Radio-Canada, ONF, Conseil des Arts…). Si jamais, dans les négociations envisagées, on allait chercher notre plein quart du reste, cela donnerait 23 millions, soit la dixième partie du coût annuel estimé des changements découlant de la réforme inutile et néfaste du Sénat.

Cet exemple illustre parfaitement la technique de double langage, courante dans l'Accord, qui arrive à se renier d'un membre de phrase à l'autre en faisant semblant de transférer des pouvoirs qui sont plus centralisés après qu'avant. Le texte aurait du moins le mérite de ne pas être insultant s'il disait clairement ce qu'il veut dire : la culture, ses institutions, ses budgets sont essentiellement de juridiction fédérale et vont le rester, sauf résidu provincial qui devra faire l'objet de négociations futures ne jouissant même pas de l'éphémère protection constitutionnelle de cinq ans valable pour la forêt et les mines (du moins selon le texte « officiel » du 28 août). […]

Un Sénat monstrueux… et insidieux

Un des éminents chantres de Charlottetown a récemment qualifié de rien de moins que « raciste et xénophobe » une analyse des tenants du NON au sujet du Sénat. Disons d'abord que, si on hait vraiment ces abjections, on ne fait pas des mots qui les désignent un usage aussi léger. Surtout pas dans l'espoir de défendre un des plus indéfendables aspects de l'entente de Charlottetown : le Sénat.

Pouvons-nous accepter que les francophones hors Québec puissent contrôler le mécanisme de double majorité (requise pour les lois sur la langue et la culture françaises) à la Chambre haute ? L'attachement, je dirais même le *commitment* envers nos frères et sœurs canadiens-français, n'est pas en cause. Malgré certains incidents de parcours, sans le vigoureux combat national québécois du dernier demi-siècle, la discussion de leur destin, sauf peut-être pour les Acadiens, serait déjà académique.

Ce n'est donc ni les insulter ni faire de la discrimination contre eux que de refuser qu'ils puissent avoir la majorité des voix réservées à tous les francophones du pays dans une instance fédérale. Le cœur de la francophonie nord-américaine se situe forcément là où se trouvent les sept millions de Québécois et de Québécoises.

Le danger des votes conjoints

Ce n'est évidemment pas là l'unique ni même la principale faiblesse de ce monstrueux Sénat : plus de soixante sénateur(e)s pourront littéralement débarquer dans la Chambre des communes pour en bouleverser l'équilibre lors des fameux votes conjoints. En ces occasions, les représentants du Québec seront à égalité avec ceux de l'Île-du-Prince-Édouard. Ce ne sont plus là les accessoires de la démocratie qui sont touchés, mais son fondement même. Même sans la problématique spécifique québécoise, une telle chose serait choquante. Par exemple, lors du vote historique sur le libre-échange, trois ou quatre petites provinces néo-démocrates, ramenant leurs effectifs sénatoriaux en Chambre conjointe, auraient pu bloquer un projet soutenu par les populations du Québec et de l'Ontario si le gouvernement avait eu une majorité de moins de vingt-cinq sièges.

Pouvoir de nomination

Quand on prétend ce Sénat sans pouvoir, on oublie aussi son droit de nomination au poste de gouverneur de la Banque centrale et à d'autres postes le cas échéant. Imaginez l'obstacle insurmontable qu'il représenterait pour l'investiture d'un nationaliste québécois même très modéré. J'entends déjà le contre-interrogatoire des sénateurs de l'Ouest face à un Claude Béland ou à un Jean Campeau pressenti comme grand patron de la Banque du Canada. Vraiment, quand M. Bourassa a accepté cela, il n'avait pas l'esprit aux « scénarios du pire ».

Et à quel montant se chiffre le coût total de ce Sénat réformé et déformé ? Au bas mot 250 millions de dollars par an. C'est une fois et demie le budget annuel du plus gros hôpital du Québec. Le compte est facile à vérifier : de soixante-deux à soixante-dix nouveaux sénateurs qui, élus, vont coûter ce que coûte un député actuel, soit environ trois millions chacun par an. Plus quarante-deux nouveaux députés (et quelques-uns encore en 1996) pour faire contrepoids, moins le coût des cent deux sénateurs nommés et retraités actuels à 800 000 $ chacun. Sans compter les frais pour les faire élire tous les quatre ans. Ajoutez à cela qu'il y a près de deux mois, près de 100 % des Québécois souhaitaient l'abolition pure et simple du Sénat.

Ce Sénat, couplé avec la clause interprétative d'égalité des provinces, est sans doute l'aspect le plus manifestement insoutenable de l'entente dans sa composante institutionnelle. On nous fait miroiter en échange quelque sécurité future, peut-être utile en 2021 et qui consisterait à nous garantir 25 % des députés à perpétuité.

Ce minimum « absolu » est censé nous donner une meilleure protection dans l'avenir qu'aux époques où nous avions plus du quart de la Chambre et du tiers du Sénat. Par exemple, en 1917, ou en 1942 pour la conscription. Ou en 1970, quand nous avons combattu les odieuses Mesures de guerre. Ou en 1981, quand le chef de l'opposition du temps, Claude Ryan, votait avec René Lévesque pour que notre Assemblée nationale dise VETO à l'unilatéralisme autoritaire.

C'est d'ailleurs à cette époque que la Cour suprême nous a appris que nous n'avions pas de droit de veto et que, par conséquent, soit dit en passant, nous ne pouvions pas le perdre. Ce que confirme M. Trudeau du reste, lorsqu'il dit qu'il a offert en 1971 le veto à Robert Bourassa qui l'a refusé. Et qui, aujourd'hui, se fait une gloire d'en avoir « récupéré » une demi-douzaine de parcelles qu'il partage avec toutes les provinces présentes… et futures !

Non à un projet à contresens

Malgré quelques digressions prévisibles vers les terrains marécageux de la peur économique et des pronostics de guerre civile, l'exercice référendaire a, somme toute, porté sur l'analyse des vrais enjeux. Peu de lignes, peu de mots du document du 28 août ont été analysés, décortiqués et révélés pour ce qu'ils sont vraiment : non pas une « offre », mais une demande au Québec de renoncer à ce qu'il a toujours été et à ce qu'il a toujours voulu être.

On a pensé à Ottawa, comme à Québec, que l'approbation de l'Accord ne serait qu'une simple formalité. Il semble que tel ne sera pas le cas. Pourquoi ?

La meilleure explication, du moins pour le volet québécois de l'aventure, m'est suggérée par la science physique. M. Bourassa semble avoir été la victime de l'implacable loi de l'inertie. Il a lancé un mobile à toute allure et avec force dans une direction donnée et, soudainement, il a tenté non seulement d'en arrêter la course, mais de le propulser aussi raide dans le sens inverse, sans avis ni délai : mission impossible en politique tout autant qu'en sciences exactes.

La fermeté de bon aloi de l'après-Meech, la négociation un à un, la signature de Bélanger-Campeau, comme celle du rapport Allaire et l'adoption de la loi 150, ont donné une formidable poussée d'accélération aux consensus, déjà forts, sur ce qui est essentiel au développement du Québec. Vouloir freiner un tel bolide en catastrophe dans les dernières semaines d'un mauvais été ne peut être qu'une folle manœuvre à la limite de la cascade de cinéma.

Renverser le consensus

Depuis trente ans, depuis le « Maîtres chez nous » de Jean Lesage et de la Révolution tranquille, le Québec réclame plus de pouvoirs, revendique la pleine maîtrise des leviers de son devenir. Depuis trente ans, la population a élu des gouvernements qui proposaient, jusqu'à tout récemment, de faire de Québec et non pas d'Ottawa le centre déterminant des décisions concernant son avenir.

La récupération de pouvoirs exclusifs est au cœur des revendications historiques du Québec. Le premier ministre Bourassa a accepté des offres qui contredisent cette ligne de force de notre histoire, de notre histoire récente en particulier. Le projet conçu en son absence, mais qu'il a finalement endossé, ne comporte le rapatriement au Québec d'aucun nouveau pouvoir exclusif. Les Québécoises et les Québécois n'y reconnaissent pas l'ombre du message que, dans leur très grande majorité, ils ont formulé à l'intention de leur gouvernement au moment des travaux de la commission Bélanger-Campeau.

Protections symboliques

En échange de ce revirement, de l'abandon de la revendication la plus fondamentale du Québec en matière de pouvoirs exclusifs réels, le premier ministre Bourassa nous propose l'acceptation d'un concept de société distincte sans portée, noyée dans les huit caractéristiques fondamentales que comporte la clause Canada et inconciliable avec les principes de la dualité linguistique et de l'égalité des provinces que le même document édicte. Purement symbolique et au mieux une simple protection défensive, l'affirmation de la société distincte n'a aucune efficacité pour assurer la force et l'originalité du peuple québécois.

Au surplus, pour la première fois, un premier ministre du Québec a accepté une diminution du poids du Québec dans une institution fédérale. Dans un Sénat égal, il ne compterait le cas échéant que moins de 9 % des voix et deviendrait l'égal de l'Île-du-Prince-Édouard. Et ce Sénat aurait des pouvoirs réels. On a tenté de nous rassurer en prétendant qu'une majorité de sénateurs francophones pourrait bloquer des projets de loi en matière de langue et de culture alors que rien n'assure que les sénateurs du Québec formeraient cette majorité. En compensation, le Québec obtiendrait la garantie que sa représentation ne tomberait jamais sous la barre des 25 % alors qu'en 1982, au moment du rapatriement unilatéral de la Constitution, nous avions près de 28 % de la députation en provenance du Québec. Cette garantie serait illusoire, elle n'ajouterait rien aux pouvoirs de l'Assemblée nationale.

Il est à espérer que, lundi prochain, le « peuple » saura dire non à cette entreprise de manipulation inédite réalisée avec la complicité très active du premier ministre du Québec. Il faudra chercher par un NON puissant à retrouver les consensus d'avant Charlottetown.

La souveraineté, une idée moderne

*Allocution à l'occasion du débat
sur la question référendaire, le 12 septembre 1995.*

[...] Je vais maintenant, avec beaucoup de plaisir et une certaine émotion, faire mon intervention dans ce débat sur la question en me rappelant que le premier ministre du temps, René Lévesque, m'avait demandé d'ouvrir le débat sur la question en 1980. Et je me souviens très bien que je m'étais levé dans cette Chambre [...] en pensant à mes enfants, à deux filles et un fils qui étaient des petits enfants à l'époque, qui avaient entre dix et quinze ans, qui ne comprenaient pas très bien la politique, puis je ne voulais pas les en abreuver trop parce qu'ils souffraient déjà assez de mon absence, comme certains autres dans cette Chambre l'ont vécu. Je me lève encore aujourd'hui en pensant à ces personnes qui ne sont plus des enfants. Ce sont de grands adultes bien formés, intellectuellement en particulier, poursuivant des études, militant pour la souveraineté du Québec, ayant découvert eux-mêmes leur propre voie et leur propre chemin. Et je veux rappeler ce qui s'est passé durant ces quinze ans. Je me levais, à l'époque, avec mes collègues, pour convaincre la population du Québec de leur donner un pays, à ces enfants. Et je me lève aujourd'hui avec eux et en pensant maintenant à mes petits-enfants pour leur rappeler ce qui s'est passé depuis 1980, depuis que René Lévesque a dit : « À la prochaine. »

En 1980, quand nous avons commencé le débat, ceux et celles qui y ont participé pouvaient encore parler d'un

concept qui était inscrit dans les conventions constitutionnelles canadiennes et la mentalité constitutionnelle de deux
nations et de deux peuples. Comme le premier ministre a
cité Lester Pearson, je cite le chef du Parti conservateur,
Robert Stanfield, avec Marcel Faribault et autres, qui, reprenant ce qu'ont toujours cru les Québécois et les Québécoises
depuis 1867 et avant, a dit qu'il s'agissait de demander un
mandat de négocier [...] entre deux peuples et deux nations.

Des événements, M. le Président, d'une importance capitale sont survenus depuis, d'abord en matière constitutionnelle. En 1982, ce contrat fut brisé formellement et juridi-
quement de façon unilatérale par le parlement du Canada
malgré l'opposition exprimée à la quasi-unanimité de ce
Parlement-ci. [...]

Si nous sommes un peuple, comme vous l'admettez [...],
voulez-vous m'expliquer comment les élus démocratiques d'un
peuple peuvent [...] voir un contrat brisé unilatéralement sans
conclure qu'il est temps d'établir un nouveau partenariat
d'égal à égal avec le reste du Canada, l'autre peuple ? [...]

Qu'est-ce qui s'est passé aussi depuis 1980 ? Il s'est passé
qu'on a 600 milliards de dollars de dette. On en avait moins
de 100 milliards de dollars à l'époque. Il s'est passé que, d'une
querelle constitutionnelle à l'autre et d'un mauvais fonctionnement du fédéralisme canadien à l'autre, cet ensemble politique tourmenté par les problèmes constitutionnels depuis
un demi-siècle a fini aussi par s'approcher dangereusement
du seuil de la banqueroute et est aujourd'hui devenu un des
pays les plus endettés d'Occident [...].

[...] L'économie s'est détériorée depuis 1980. Elle s'est
détériorée au Canada, mais au Québec surtout. Quand je me
lève aujourd'hui, il y a dans notre société québécoise
1 200 000 chômeurs et assistés sociaux, une augmentation de
50 % depuis 1980. Quand je me lève aujourd'hui, c'est pour
constater que rien n'a changé dans les injustices inscrites
dans le fonctionnement du régime fédéral. Nous avions en
1980 [...] à peu près 15 % des dépenses de recherche et de
développement. Nous en sommes toujours à ce niveau. [...]

Et on a eu aussi dix ans de régime non seulement fédéral, mais fédéraliste. Pendant dix ans, ceux qui sont aujourd'hui décidés à continuer à patauger dans cette incohérence nous ont parlé quotidiennement de constitution et encore de constitution: Meech, Bélanger-Campeau, question de Bruxelles, superstructure. Ceci me permet d'affirmer aujourd'hui, ce que je n'aurais pas pu faire en 1980, que nos amis d'en face et ceux qui partagent leurs idées, de bonne foi parce qu'ils ont essayé de s'en sortir – ce n'est pas à cause d'eux que Meech a échoué –, nous ont fait perdre quinze belles années qui auraient pu être consacrées au développement économique, social et culturel de notre peuple. [...]

Donc, quinze ans de perdus où plusieurs talents, des deux côtés de cette Chambre, auraient pu s'employer à beaucoup mieux qu'essayer de résoudre cette question constitutionnelle qui jamais ne cessera de nous hanter si nous ne prenons pas la décision courageuse à laquelle nous convions notre peuple. C'est pour ça que s'est constitué ce que l'on appelle le camp du changement. Ce camp du changement, il est une résultante de trois grands courants de la vie politique québécoise depuis la Révolution tranquille et même un peu avant.

La signature de Jacques Parizeau sur l'entente rappelle que les souverainistes de toutes tendances, y compris les mouvements antérieurs au Mouvement Souveraineté-Association et au Parti Québécois, appuient de toutes leurs forces cette entente. Je fais remarquer d'ailleurs à ceux et celles qui voient des éléments de nouveauté dans le mot « association » que le mouvement fondé par René Lévesque s'appelait justement le Mouvement Souveraineté-Association, que la tendance souverainiste québécoise, avec beaucoup de clairvoyance, depuis le premier instant où elle est apparue dans notre vie publique, a parlé d'association, d'ouverture et de modernité dans ses relations avec les autres peuples.

Un deuxième courant est venu s'ajouter qui, d'une certaine manière, à cause de la chronologie, a une crédibilité particulière. Il représente surtout ceux et celles du « beau risque » que René Lévesque lui-même avait appliqué. L'un des

leaders du camp du changement était ministre du gouvernement du Canada il y a cinq ans, Lucien Bouchard. Il était,
avant, non pas délégué général du Québec, mais ambassadeur du Canada à Paris. Cette tendance, cet autre courant
représente ceux et celles […] qui ont vraiment été jusqu'au
bout de leur âme et de leur esprit pour faire que ce pays fonc-
tionne et respecte le Québec. Ils ont rejoint, de désespoir, le
camp du changement qui est devenu celui de l'espoir.

Et le troisième courant, il provient du deuxième schisme
du Parti libéral, parti d'Antoine-Aimé Dorion, parti d'Honoré Mercier, et le chef de l'Action démocratique était
président de la Commission Jeunesse du Parti libéral il y a
quelques années. Ça commence à faire du monde, ça. La coalition arc-en-ciel, dont nous avons rêvé pendant longtemps,
elle n'était pas véritablement réalisée en 1980; elle l'est
aujourd'hui. C'est pour ça que, sur le terrain en particulier,
dans les villes et les villages du Québec et un peu partout, on
sent cette poussée incomparable pour appuyer le changement et pas n'importe quel changement.

Parce que cette entente, qui est présentée dans une loi,
elle aussi représente, au-delà du Québec et des tendances
politiques, les grands courants de la pensée contemporaine et
des relations entre les peuples. Et quels sont-ils, ces deux
grands courants auxquels le Québec n'échappe pas, ne veut
pas échapper et ne pourra échapper ? Le premier, c'est que les
groupes humains, que l'on appelle peuples, veulent et doivent être libres. Ça s'applique aux grands comme aux petits.
Ça s'applique à la République populaire de Chine, avec un
milliard deux cent cinquante millions d'habitants, comme
au Luxembourg, qui a moins d'habitants que la ville de Laval
au Québec. Ça s'applique aux pays qui ont quitté dernière-
ment l'Union soviétique comme ça s'applique à la République tchèque et à la République slovaque, et comme ça va
s'appliquer au Québec bientôt.

Il y a une trentaine de pays qui, au cours des derniers
mois seulement, ont rejoint l'Organisation des Nations unies
et il y en a une cinquantaine depuis dix ans pour témoigner

qu'au cœur de tous les peuples est inscrite la volonté fondamentale dont ils ne se guériront jamais d'avoir l'égalité avec
les autres peuples, de participer au concert des nations et
d'améliorer par leur diversité, leur présence, leur culture la
vie sur cette planète. [...]

Cela dit, il y a un deuxième courant auquel nous avons
souscrit [...] et c'est celui de la modernité des rapports entre
les nations. En d'autres termes, la fluidité de l'économie, les
zones de libre-échange, les marchés communs. Les peuples
souverains et libres ont appris, particulièrement en Europe
de l'Ouest, d'une façon très difficile et très pénible que la
liberté et la souveraineté devaient s'exercer de concert avec
les voisins et avec les autres peuples pour le meilleur avantage mutuel de tous et de toutes.

Ce n'est pas surprenant que ce soient les peuples de
l'Europe de l'Ouest qui ont fait ce constat d'abord ; ils ont
passé la moitié du présent siècle dans des affrontements qui
ont frôlé, à plusieurs reprises, la barbarie, il faut bien le dire :
1914-1918, 1939-1945. Ces peuples qui ont souffert ont pu
témoigner avec crédibilité dès 1957, lorsqu'ils se sont réunis
dans la ville de Rome, que les peuples libres et modernes doivent le rester et que ce n'est pas aux Allemands à aller dire
aux Français, sur leur territoire, ce qu'ils vont faire, ni l'inverse, mais que les peuples modernes doivent vivre en interdépendance les uns avec les autres.

C'est ce qui a donné naissance au traité de Rome, à six
pays au début, puis douze et puis maintenant pratiquement
500 millions d'êtres humains qui pratiquent exactement ce
que nous voulons pratiquer avec nos compatriotes du reste
du Canada et le reste de notre continent, l'indépendance
politique, la souveraineté nationale dans un partenariat
étroit favorisant la libre circulation des biens et des services,
des personnes et des capitaux.

Il faut nous le rappeler à nous-mêmes, il faut le rappeler
aussi à nos compatriotes du reste du Canada. Et, plutôt que
d'aller dans les feuillets complexes du traité de Rome ou du
traité de Maastricht, je vais simplement donner un exemple

de ce qui se produit entre des peuples avancés aujourd'hui et qui se produira entre le Canada, le Québec, les États-Unis et le Mexique d'ici peu. Ce matin, un camionneur a probablement quitté Stockholm pour aller à Athènes, en Grèce. Il va traverser je ne sais plus combien de pays souverains sans qu'il perde et mette en question son identité, sa langue, sa nationalité. Il ne s'arrêtera pas à un seul poste-frontière.

C'est ça, la libre circulation des personnes et des biens, et c'est très exactement ce que nous proposons à nos compatriotes du reste du Canada, qu'un camionneur puisse quitter Trenton pour aller à Moncton et le faire avec autant d'aisance qu'un camionneur le fait de Stockholm à Athènes, ce qui n'est pas le cas présentement, figurez-vous. Une étude attentive des réglementations du transport démontre que, de façon absurde, mais réelle, la fluidité du camionnage est plus grande entre le Québec et les États-Unis d'Amérique qu'entre le Québec et l'Ontario ou le Nouveau-Brunswick. C'est ça, un système passéiste qui a été victime de négligences sans fin et d'une inefficacité de développement qui n'est plus compatible avec les exigences des économies modernes.

Quand M. Harris, le premier ministre de l'Ontario, la semaine dernière, a dit qu'il allait nous traiter comme les États-Unis, les gens qui connaissent un peu ces questions ont trouvé que c'était une excellente nouvelle, parce que, s'il nous traite comme les États-Unis, nos camionneurs vont travailler beaucoup plus facilement en Ontario et dans le reste du Canada. S'il nous traite comme les États-Unis, quand on va avoir un différend avec lui, au lieu de nous remonter ça jusqu'à la Cour suprême du Canada où tous les juges sont nommés par le gouvernement du Canada et rendent les jugements que l'on sait – Maurice Duplessis, qui a occupé cette banquette, disait que c'était comme la tour de Pise qui penchait toujours du même côté –, au lieu que nos différends avec l'Ontario et avec quiconque soient réglés de cette façon, ils le seront par des panels d'arbitrage binationaux ou multinationaux, formés d'un nombre égal de représentants des deux parties en présence et rendant des jugements justes. [...]

J'entendais le chef de l'opposition et j'entends souvent des adversaires de ces choses qui sont pourtant si évidentes dire : jamais ils ne voudront traiter avec un pays qui n'est que le quart de ce qu'ils sont. Vous l'avez entendu ? On représente 25 % de la population ; donc, il n'est pas question, jamais, que le Canada traite avec un pays qui n'aurait que le quart de sa population. Est-ce que ces gens, qui sont si sûrs de leur affirmation, pourraient m'expliquer pourquoi la plus grande puissance du monde, les États-Unis d'Amérique, à 250 millions d'habitants, traite d'égal à égal dans les panels de libre-échange avec un pays qui n'est pas quatre fois plus petit, mais dix fois plus petit, le Canada avec ses 25 millions et quelques d'habitants ? [...]

Nous nous engageons dans une campagne qui va mobiliser nos cœurs et nos esprits. [...] Ce n'est pas par calcul du taux d'intérêt et des variations du produit national brut aux coûts des facteurs que nous sommes indépendantistes ; c'est parce que nous aimons profondément ce pays. Nous trouvons que l'histoire lui a confié jusqu'à ce jour, malgré sa bonne foi et ses efforts, un statut réducteur et qui ne lui convient pas. C'est parce que nous voulons qu'à l'avenir, quand nos professeurs vont enseigner à l'étranger ou que nos athlètes gagnent des concours olympiques, leur nom et celui de leur peuple soient prononcés. Aux Olympiques de Lillehammer, le Québec a remporté neuf des treize médailles du Canada. Le mot « Québec » n'a même pas été prononcé. [...] À l'avenir, quand, après ce référendum, nous aurons pris place dans le concert des nations, nos ingénieurs, nos athlètes, nos professeurs, nos artistes se feront appeler dans le monde entier par leur nom, le seul qui leur convient, Québécois et Québécoises.

La « dérive antidémocratique »
d'Ottawa se poursuit

Lettre à Stéphane Dion, La Presse, le 19 août 1997.

Monsieur Stéphane Dion,

La lettre ouverte que vous avez communiquée aux médias, hier, confirme malheureusement la dérive antidémocratique dans laquelle votre gouvernement s'est engagé depuis quelques mois sur la question de l'avenir du Québec.

Vous réitérez les très graves propos de votre premier ministre qui refuse de reconnaître une décision démocratique à 50 % plus un que les Québécoises et les Québécois auraient prise en faveur de la souveraineté. Il est proprement incroyable qu'un démocrate, quel qu'il soit, défende une telle position. Pour vous justifier, vous invoquez l'impact de la décision de souveraineté sur les générations à venir. Or le Québec est entré dans le Canada sans référendum, avec une majorité parlementaire de quelques voix seulement; puis la province de Terre-Neuve a adhéré à la fédération avec un résultat de 52 %. Ces décisions ont eu des impacts pour les générations à venir. Proposez-vous de déclarer nulle et non avenue l'entrée de ces deux provinces dans la fédération? Sans doute pas. Selon vous, une majorité simple serait-elle suffisante pour entrer dans le Canada, mais pas pour en sortir? Ce serait absurde.

C'est le peuple québécois en son ensemble qui a pris la décision de rester dans le Canada, en 1980 et en 1995; c'est

le peuple québécois en son ensemble qui deviendra souverain s'il en décide ainsi majoritairement.

La vérité est ailleurs. Maintenant que vous appréhendez
une majorité souverainiste à un prochain référendum, vous
tournez le dos aux principes démocratiques et vous voulez
changer les règles du jeu. Votre refus d'indiquer la barre qui
vous satisferait (66 %, 99 % ?) démontre l'incohérence de
votre position.

Votre démarche est similaire en ce qui concerne l'intégrité territoriale du Québec. À ce sujet, les partis politiques
québécois sont unanimes à réprouver les militants partitionnistes. La démocratie et la justice sont en jeu dans ce débat.
Les partitionnistes affirment que certains électeurs du NON
ont davantage de droits que les électeurs du OUI. Les électeurs souverainistes, en 1980 et en 1995, se sont pliés de
bonne grâce à la décision majoritaire. Selon les partitionnistes, certains électeurs du NON pourraient, eux, faire fi de la
démocratie, refuser le verdict et changer les règles du jeu. Il
s'agirait là d'une intolérable injustice entre électeurs québécois. Vous ne vous élevez jamais contre cette injustice. Est-ce
parce que vous estimez que les villes ou les régions qui ont
voté OUI, en 1980 et en 1995, ont aussi le droit de quitter le
territoire canadien ? Sûrement pas.

Il serait très facile pour votre gouvernement de déclarer clairement, en une courte phrase, qu'en cas de souveraineté du Québec, le Canada s'opposera à toute velléité
de démembrement de l'État québécois, d'où qu'elle vienne.
Des études commandées par vos services du Conseil privé,
et dont les médias québécois ont fait état en 1995, démon-
traient d'ailleurs que le Canada n'aurait aucun argument
légal pour mettre en cause l'intégrité territoriale d'un Québec souverain. De la même façon, ces dernières années, le
gouvernement canadien a reconnu, dans leur intégrité territoriale, bon nombre d'anciennes provinces ayant quitté
des États fédérés, comme il l'a fait pour la Slovaquie, dont
la population n'avait pas été consultée par référendum.
[...]

Vous avez pris la décision de prêter votre caution politique et morale aux militants partitionnistes en maintenant sur cette question un flou artistique qui les sert, et qui ne vous honore pas. Tous les Québécois ont pu constater, ces jours derniers, que les militants partitionnistes utilisent envers les élus municipaux des méthodes d'intimidation, de pression de foule, d'interruption de séance, qui n'ont rien à voir avec la démocratie municipale, ou la démocratie tout court. Le fait que des élus municipaux fédéralistes soient victimes de ces tactiques ne semble pas vous émouvoir. Ils en prendront bonne note. Pour notre part, nous nous joindrons à tous les démocrates qui voudront dénoncer les partitionnistes, sur le fond et sur la forme.

La dérive antidémocratique dont vous êtes un des artisans ne s'arrête pas à ces arguments. Depuis maintenant quinze ans, le Québec subit une Constitution qui lui a été imposée sans référendum, et contre le vœu clairement exprimé par les deux grands partis à l'Assemblée nationale. Le mépris avec lequel votre gouvernement a traité la Loi québécoise sur les consultations populaires, lors du dernier référendum, la façon cavalière avec laquelle fut reçue la demande de l'Assemblée nationale de désigner son propre lieutenant-gouverneur, la désignation, contre le vœu du Québec, d'un *amicus curiae* dans un renvoi purement politique à la Cour suprême sont autant de gestes par lesquels vous bafouez la démocratie québécoise, son gouvernement et ses institutions.

Vendredi dernier, vous ajoutiez un élément à cette liste. En entrevue, vous affirmiez que le Canada anglais devrait promettre aux Québécois de reconnaître leur spécificité dans la Constitution, mais seulement à la condition qu'ils élisent le Parti libéral du Québec aux prochaines élections. Voilà un chantage odieux s'il en fut. Selon vous, les Québécois devraient monnayer leur droit de vote, renoncer à leur libre choix, contre la promesse d'un changement constitutionnel qui ne s'est d'ailleurs pas produit pendant les neuf ans où le Québec était dirigé par des libéraux qui le réclamaient alors à grands cris. Le marché de dupes que vous proposez aux Québécois indique, il me semble, combien les principes démocratiques sont en voie de fragilisation dans vos officines.

Vous justifiez l'ensemble de vos arguments par votre crainte que le Québec ne fasse une déclaration unilatérale d'indépendance. Vous et vos collègues brandissez cette hypothèse comme un épouvantail. Or, il est de notoriété publique qu'en 1981, alors qu'il cherchait à rendre le Canada complètement indépendant du Royaume-Uni, le premier ministre canadien se réservait le droit de recourir à une déclaration unilatérale d'indépendance, en cas de mésentente avec Londres. Son premier choix était cependant de s'entendre amicalement avec le gouvernement britannique. Dois-je comprendre que vous soutenez maintenant qu'en cas de mésentente avec Londres vous vous seriez opposé à ce que le Canada déclare son indépendance formelle ?

Évidemment non. Vos objections ne valent que pour le Québec. Elles ne valent ni pour le Canada, ni pour Terre-Neuve, ni pour les autres pays.

Or, l'approche québécoise est similaire à celle qu'envisageait, à l'époque, le gouvernement canadien, avec la différence majeure qu'elle sera fondée sur une décision démocratique du peuple québécois. Vous me permettrez de citer à cet effet le discours prononcé en mai de l'an dernier à l'Assemblée nationale par le premier ministre québécois :

« En proposant au Canada une offre formelle de partenariat et une période d'un an pour négocier les arrangements nécessaires, nous affirmons clairement que notre premier choix est une résolution négociée de l'ensemble des questions qui nous intéressent : espace économique commun, partage des responsabilités quant à la dette et aux actifs, organismes conjoints de gestion de notre partenariat.

« Si le Canada et les provinces veulent utiliser cette période pour régler leurs problèmes de droit interne et adopter les amendements appropriés, le gouvernement du Québec ne s'y opposera pas. Nous n'avons cessé de répéter qu'il est dans l'intérêt du Canada et dans l'intérêt du Québec que cette transition vers la souveraineté se fasse dans le calme, dans le respect mutuel et dans l'entente réciproquement avantageuse.

«Nous ajoutons cependant que si le Canada rejette notre main tendue, si le Canada veut nous imposer des veto, nous retenir dans la fédération contre notre gré, nous allons nous en retirer en proclamant la souveraineté.»

Les souverainistes québécois, bien avant le gouvernement fédéral, ont réfléchi et fait des propositions sur la période de transition qui se déroulera entre le verdict référendaire et l'accession à la souveraineté. Bien avant vous, nous avons proposé un processus ordonné de négociation et de résolution des conflits. Bien avant vous, nous avons déclaré que toutes ces questions seraient résolues par des voies pacifiques, sans recours à la force, comme M. Bouchard l'a clairement répété lors de son discours du Centaur.

Des dizaines de peuples ont acquis leur souveraineté depuis la Seconde Guerre. Parmi eux, aucun n'avait la tradition démocratique dont peut s'enorgueillir le Québec. Aucun, donc, ne se présentait aussi bien préparé à réussir cette transition et à assumer sa souveraineté. Il serait temps que votre gouvernement le reconnaisse et abandonne sa tentation antidémocratique. Il serait temps que votre gouvernement se déclare prêt à accepter le verdict démocratique des Québécois s'il devait être favorable à la souveraineté, et à engager alors, comme ce sera notre intérêt réciproque, les négociations dont le succès rendra inutile le recours à des gestes unilatéraux de part et d'autre.

Le Québec, un pays du XXIᵉ siècle

Avant-propos du Rapport du comité de réflexion et d'actions stratégiques sur la souveraineté du Québec, mai 2000.

« Notre défi est de faire en sorte qu'une majorité de Québécoises et de Québécois jugent la souveraineté nécessaire. » C'est en ces termes que le premier ministre Lucien Bouchard a défini l'objectif qui doit guider les actions du Parti Québécois à l'aube du XXIᵉ siècle, exprimant à la même occasion la volonté que le XIVᵉ Congrès du parti soit résolument tourné vers la promotion de la souveraineté. [...]

J'ai cherché, dans ce rapport, à souligner ce qui m'apparaît être les éléments marquants du développement économique, social, culturel et politique du Québec depuis le référendum de l'automne de 1995. La revue de l'action de notre gouvernement, comme de celle d'ailleurs des fédéralistes canadiens, fait apparaître un tout nouveau contexte pour la souveraineté du Québec. De nouveaux arguments s'ajoutent à tous ceux que nous connaissons si bien. Nombre de mythes fédéralistes s'éteignent. Plus formidable encore, c'est le portrait global du Québec qui, aujourd'hui, s'en trouve transformé. On excusera sans doute dans ce rapport ma préoccupation marquée pour l'économie du Québec. Elle tient à ma conviction qu'elle est au cœur de nos aspirations nationales. Elle s'explique aussi par l'obsession qui découle de mes responsabilités ministérielles.

Nous savons tous combien les adversaires de la souveraineté ont toujours cherché à miner la crédibilité économique de notre projet. Ils n'ont jamais hésité à recourir aux tactiques de la « peur économique ». Au moment où la population nous confiait en septembre 1994 le mandat de former le gouvernement, l'État québécois se retrouvait dans une situation critique. La gestion du gouvernement libéral sortant avait amené les finances publiques au bord de l'effondrement. L'économie québécoise arrivait mal à se sortir d'une récession particulièrement difficile sur le plan de l'emploi. De 1989 à 1994, le Québec avait perdu 23 100 emplois, alors que le Canada en créait, quant à lui, 125 300. On comprend mieux qu'une partie des Québécoises et des Québécois, le 30 octobre 1995, aient hésité à choisir la souveraineté.

Au lendemain du référendum, nous avons fait le choix délibéré de redresser la situation économique et budgétaire du Québec. C'était le bon choix. C'était le seul possible.

Le Québec d'aujourd'hui n'est plus celui de 1995. Nos finances publiques sont maintenant saines et les Québécoises et les Québécois commencent à recueillir les fruits de leurs efforts. Nous réinvestissons massivement en santé et en éducation. Nous diminuons les impôts plus rapidement que le gouvernement fédéral. L'économie du Québec est dynamique et mieux diversifiée. Nos performances dans les secteurs de l'économie nouvelle et de la haute technologie sont aussi remarquables que remarquées.

Les écarts de performance économique entre le Québec et le reste du Canada se sont si souvent répétés au fil des ans que plusieurs en étaient venus à les considérer comme des réalités historiques incontournables. Ce n'est certainement plus le cas. La croissance de l'économie québécoise est maintenant tout à fait comparable à celle du Canada. Notre création d'emplois s'accélère. Pour les six derniers mois, elle a dépassé celle du Canada. Les investissements de nos entreprises croissent beaucoup plus vite que dans le reste du Canada. Nos exportations vers les marchés extérieurs, particulièrement vers les États-Unis, progressent à un rythme très soutenu.

En matière économique, rien n'est vraiment définitivement acquis. Il va nous falloir continuer dans la même voie. Toutes les prévisions annoncent des jours et des années encore meilleurs pour le Québec. Cette nouvelle réalité transforme profondément les perspectives d'un Québec souverain. En 1995, une étude actuarielle évaluait le déficit d'un Québec souverain à plus de 15 milliards de dollars. Une mise à jour très conservatrice de cette étude constate sa quasi-disparition avant même que ne soient réalisées les économies découlant de l'élimination des dédoublements et des chevauchements fédéraux.

Si les cinq dernières années ont confirmé le potentiel économique du Québec, elles ont aussi confirmé que, malgré leur quasi-défaite, jamais les fédéralistes canadiens n'offrirent de réponse satisfaisante à ceux de nos compatriotes qui pensent qu'une réforme en profondeur du fédéralisme canadien est possible.

Tout au contraire, [...] le reste du Canada est profondément engagé dans une centralisation incompatible avec les aspirations et les besoins du Québec. Aux intrusions dans les compétences du Québec s'ajoute aujourd'hui la stratégie de ce que j'appelle « l'étranglement budgétaire ». Si jusqu'à présent cette stratégie apporte son lot de tensions budgétaires au Québec, comme d'ailleurs dans toutes les provinces, il nous faut réaliser qu'elle cache aussi une véritable bombe à retardement. Si un ralentissement ou une récession économiques devaient survenir, c'est à genoux que le Québec vivrait le fédéralisme canadien.

Dans le déroulement de son plan B, le gouvernement central a choisi d'en référer à la Cour suprême du Canada. Le gouvernement fédéral, rédigeant lui-même les questions posées à un tribunal dont les juges sont nommés par lui, comptait bien sûr recevoir les réponses qu'il souhaitait. L'avis de la Cour suprême constitue de fait une grande surprise. Beaucoup des arguments fédéraux apparaissent aujourd'hui comme des mythes, alors que la Cour suprême a, en définitive, validé le processus et la démarche proposés lors du dernier référendum.

Le projet de loi C-20 apparaît également comme une tentative d'Ottawa de se soustraire dès aujourd'hui à l'expression démocratique du peuple québécois et à l'obligation constitutionnelle de négocier de bonne foi l'accession du Québec à la souveraineté. Le Québec n'est pas lié par le projet de loi fédéral. [...] Le nouveau contexte créé par l'avis de la Cour suprême m'amène à proposer que le gouvernement du Québec demande à des sommités internationales d'agir à titre d'observateurs lors du prochain référendum. Ils pourront témoigner du caractère éminemment démocratique de la démarche des Québécoises et des Québécois et, pourquoi pas, se pencher sur les faramineuses dépenses référendaires fédérales.

Je termine enfin en rappelant que le français et la culture québécoise demeurent au cœur de notre projet. Les dernières données et constatations démontrent à nouveau que la souveraineté du Québec est la seule avenue permettant d'assurer la survie et le développement du peuple québécois, de la nation québécoise.

Notre congrès des 5, 6 et 7 mai doit marquer le lancement d'une puissante campagne de sensibilisation pour la promotion d'actions stratégiques pour la souveraineté. Nous devons y mettre la même énergie que celle que nous avons si souvent déployée. Le Québec est prêt à devenir un pays.

Le Québec que nous voulons
est à portée de la main

Discours de candidature pour le poste de président du Parti Québécois, Verchères, le 21 janvier 2001.

Ma réflexion est terminée et j'en suis venu à la conclusion, après examen approfondi de tous les facteurs pertinents et en raison des nombreux appuis qui me sont si chaleureusement exprimés, que je n'ai guère le choix. Il est de mon devoir de me porter candidat à la présidence du Parti Québécois au sein duquel je milite depuis trente ans. Je suis à la fois enthousiaste et ému, vous le comprendrez, de briguer la succession de quatre hommes que j'ai estimés et servis de mon mieux : René Lévesque, Pierre Marc Johnson, Jacques Parizeau et Lucien Bouchard. J'irai donc de l'avant avec vous tous et toutes.

Comme vous le savez, les dernières semaines ont été déchirantes pour moi comme pour bien d'autres. Le plan que j'avais pour la fin de ma vie publique consistait à seconder, de façon dévouée et loyale, le grand homme d'État qu'est Lucien Bouchard tant que je me serais senti utile et ensuite à partir. Je dois maintenant choisir un autre parcours. Il m'est dicté encore et toujours par mon amour de notre patrie du Québec.

Cette décision confirme que, selon le vers immortel de Gaston Miron, « je n'ai jamais voyagé / vers autre pays que toi mon pays ».

La vie comporte d'étranges retournements. Quand, il y a quinze ans, je souhaitais ardemment occuper le poste que je sollicite aujourd'hui, les vents m'étaient tellement contraires que j'ai dû – non sans grande peine – abandonner et chercher à militer en d'autres qualités et autrement. C'est avec une immense nostalgie d'ailleurs que je songe que ma chère Lorraine, qui me conseillait si bien en ces temps difficiles, n'est plus là à mes côtés pour m'aider à évaluer le nouveau parcours des choses. Ce sont donc les proches qui me restent que j'ai consultés en premier : mes enfants et ma vieille et charmante mère de quatre-vingt-neuf ans, ainsi que mes amis intimes. Ils savent maintenant que je décide, avec un regret certain, de consacrer moins de temps à l'art d'être grand-père. Je compenserai en intensité, comme je tentais de le faire de mon mieux quand Lorraine et moi avions de jeunes enfants. Ce métier n'est vraiment pas facile, puisqu'il nous force toujours partiellement à « quitter ceux qu'on aime », ce qui n'est acceptable que pour une cause qui nous dépasse et qui en vaut vraiment la peine, et c'est le cas de la cause du Québec.

C'est donc le fond de mon engagement politique et la trame entière de ma vie publique qui résument le mieux les raisons de ma décision : je suis l'homme d'une cause et d'une grande cause, celle de l'avancement national, économique, social, culturel et international de notre patrie bien-aimée.

Voici d'ailleurs, succinctement résumées, les six convictions de base qui m'ont motivé et vont me guider aussi bien comme chef de parti que comme premier ministre.

Premièrement, le Québec forme une nation politique, une nation politique civique inclusive qui englobe toute la population vivant sur le territoire à l'exception des Autochtones dont les nations ont été formellement reconnues comme telles par notre Assemblée nationale en 1985 et en 1989. Le Québec est aussi la patrie d'une minorité nationale, les anglophones, dont les droits sont intangibles.

Deuxièmement, la question nationale du Québec n'est pas réglée. Le Québec n'a jamais adhéré à la présente Constitution du Canada. Son État national, qui est déjà doté de certains moyens et pouvoirs importants, ne saurait se satisfaire d'un statut provincial réducteur et qui l'empêche de servir pleinement les intérêts de sa population et de pratiquer une saine gouvernance. Notre nation a l'obligation et le devoir de chercher la pleine reconnaissance de ce qu'elle est, autant au Canada que dans la communauté internationale. L'accès à l'entière souveraineté de notre État doit se faire dans la modernité, bien entendu, et l'efficacité et, préférablement, au sein, par exemple, d'une union de type confédéral comme les nations européennes le font dans le respect de leur identité et de leur souveraineté propre. C'est ce que le général de Gaulle appelait l'Europe des nations. Nous voulons pour le Canada et le Québec une union entre nations égales. Plus loin dans le temps, peut-être, une intégration des Amériques semblable à celle de l'Europe est loin d'être exclue.

Troisièmement, le Québec, qui constitue déjà un des espaces économiques les plus diversifiés du monde, peut et doit augmenter bien davantage son niveau de richesse, ce que la souveraineté favoriserait d'ailleurs. Il faut continuer à combiner sagement les vertus de l'économie de marché, les capacités entrepreneuriales privées et l'action économique collective. Il faut continuer à développer, en l'améliorant, notre modèle original – toujours perfectible – qui conjugue l'intervention de l'État et la mobilisation de ses puissants moyens économiques avec l'action des entreprises privées, coopératives, associatives et de l'économie sociale. De ce point de vue, notre économie est déjà exemplaire. Cette façon de créer la richesse que nous avons maximise les possibilités d'un développement harmonieux autant que le maintien d'un niveau acceptable de contrôle québécois sur nos entreprises. Inutile de dire que ces progrès ne sauraient se faire et ces stratégies se mettre en œuvre sans que nous protégions avec soin notre environnement physique et cherchions le développement durable.

Quatrièmement, la création de la richesse n'est pas une fin en soi. Elle doit déboucher sur une répartition équitable de la prospérité. C'est un des grands rôles de l'État, secondé par les efforts de la société civile et l'action communautaire, que de créer des chances égales d'épanouissement matériel et intellectuel pour toutes les personnes vivant au Québec. Cette répartition doit viser aussi toutes les régions du Québec, les régions ressources en particulier, qui connaissent présentement, on le sait, quelques difficultés.

Cinquièmement, la culture, sous toutes ses formes, est au cœur du projet collectif du Québec en raison non seulement de sa spécificité linguistique, mais aussi de l'originalité qui, plus généralement, en découle. Le Québec doit continuer à faire de la culture un élément majeur de qualité de vie et d'augmentation des chances de bonheur des personnes qui y vivent. La dimension éducative est évidemment centrale quant au développement des personnes et de l'égalité des chances de réussir leur vie.

Sixièmement, le Québec est ouvert sur le monde et favorise la libre circulation, entre les nations, des biens, des services, des capitaux et des personnes. Ces libertés doivent cependant être balisées et régulées par des institutions démocratiques supranationales fortes, de manière à éviter les conséquences sociales, culturelles et environnementales néfastes d'une dérive anarchique de la mondialisation. Le Québec se doit aussi d'être exemplaire dans son soutien actif aux pays les moins avancés.

Voilà les six balises qui vont guider mon action. La mise en pratique de ces grands principes implique quelques conclusions immédiates.

D'abord, jamais plus il ne faut tolérer ici ou ailleurs que l'on assimile le projet québécois qui est totalement inclusif à quelque dessein ethnique réducteur. […]

Now a few words to our English-speaking Quebec compatriots to stress upon two major facts. Just like I did say in French your rights as a national minority in Quebec are sacred, part of the Quebec soul and will be respected forever. Your historical presence is a net plus for Quebec. It helps us to stay connected with the continental mainstream, and the best of the English-speaking world of knowledge, science, and technology. The role and the influence of McGill University is a typification of that.

Two other important points I want to mention is that the Quebec nation, it is perfectly clear now, is a political and civic nation, not an ethnic one. The reality consolidated itself through a long historical process leading from the notion of French Canadian to that of Quebecer. [...] For obvious reasons we were not all French Canadians, it's evident, as obviously now that we are all Quebecers. Nous sommes tous des Québécois.

Quant à la souveraineté, nous avons toutes les raisons de poursuivre nos efforts en vue d'y arriver le plus vite possible et nous déploierons toute l'énergie voulue en ce sens. Il est par ailleurs abusif, injuste et réducteur de qualifier notre mouvement de séparatiste. Il s'agit en fait de régler une question nationale de façon moderne, comme on le fait ailleurs. Notre projet est positif et n'a jamais été dirigé contre le Canada ni contre personne: René Lévesque parlait déjà de souveraineté-association dès les origines de notre mouvement.

Sous l'angle économique maintenant, on sait que le Québec s'est bien débrouillé sur le plan de l'économie, mais il n'y a pas lieu de triompher ou d'être triomphaliste. Huit pour cent de chômage, c'est encore trop. L'obsession de l'emploi doit continuer à dominer. Notre niveau de vie est encore de 25 % inférieur à celui de l'Ontario. Depuis que la péréquation a été créée en 1957, le Québec en reçoit chaque année: c'est toujours une province pauvre. Les deux mots me déplaisent. Il faut transformer une province pauvre en un pays riche.

Créer la richesse pour la concentrer entre les mains de quelques-uns n'est ni fraternel ni humain. Il faut continuer à être une société avancée dans la solidarité et trouver de nouveaux moyens pour combattre l'exclusion et la pauvreté qui, hélas, sévissent toujours.

Côté culture, nos succès, parfois éclatants, ne doivent pas nous faire oublier que la culture et l'éducation sont de puissants instruments de développement humain et doivent rejoindre toutes les couches de la population. Notre culture doit continuer de rayonner partout dans le monde, comme elle le fait présentement. [...]

Déjà ouvert sur le monde, le Québec n'entend pas subir passivement la mondialisation et voir s'établir un déficit démocratique par le fait de décisions prises à des tables supranationales où il ne serait même pas présent. Ce dernier point rend la souveraineté plus urgente que jamais et justifie une grande vigilance en attendant. [...]

Por ahora unas palabras en el primer idioma de las Américas para sobrelínear nuevamente que nuestra nación de Québec tiene una grande facilidad para incluir hombres y mujeres que tienen una primera patria en el sur. Hay lugar en las cabezas y los corazones para las dos. Y la tierra de Québec es grande, generosa y abierta para todos y todas que quieren ayudar a contruir la nueva patria del Norte. Nuestro Québec.

Le fait que la question nationale ne soit pas réglée entrave tous les autres cheminements de notre peuple et mine en partie nos efforts d'efficacité. Notre gouvernement national, pourvu de simples moyens provinciaux, ne peut tout simplement pas, quel que soit le parti au pouvoir, servir notre peuple comme il devrait l'être et comme il le serait s'il possédait tous les outils voulus.

A few words, now, to our friends from the rest of Canada. [...] It's a word of frankness – I will be frank and blunt – which is a sign of respect and esteem. [...] You must know if you really want to understand Quebec that we are not a distinct society, we are a Nation. Just like Scotland, Ireland, Israel or Denmark. [...]

So, on that solid basis, a recognition that we are a Nation, and using the fantastic example of modernity that European Union is in terms of cooperation between nations, we have the duty and opportunity to reframe our relations in a far more respectful, productive, efficient and friendly way.

Depuis cinquante ans, tous nos premiers ministres – c'est d'ailleurs une des raisons de la difficulté du poste et des frustrations qu'il implique – ont vu leurs actions réduites, entravées ou annulées en raison de cette inadéquation entre ce que l'on attend d'eux comme dirigeants nationaux et les moyens provinciaux qu'on leur concède. Le secteur de la santé mais bien d'autres en font l'illustration dramatique.

Malgré notre bonne gestion qui doit continuer, notre budget reste très difficile à équilibrer, car les besoins sont à Québec et les énormes surplus à Ottawa. [...]

Le marasme constitutionnel est tel que notre Assemblée nationale se retrouve aujourd'hui avec moins de pouvoirs que du temps de Maurice Duplessis. Le Canada a même changé la Constitution malgré nous en 1982. Sur ce front c'est le progrès à rebours. Il tombe sous le sens que, pour gouverner efficacement une nation, il faut des pouvoirs nationaux. Comme le gouvernement central nie notre existence nationale, il cherche inlassablement à tout concentrer dans ses mains. Qui plus est, il tente de miner par une propagande incessante, coûteuse et parfois scandaleuse, voire ridicule, les fondements mêmes de notre appartenance nationale. [...]

Nous allons devoir continuer à gouverner, aussi bien que Lucien Bouchard, et, en particulier, consolider les réalisations extraordinaires que nous lui devons, tant en les raffinant qu'en les expliquant, pour que la population les apprécie davantage. Par ailleurs, tout en me consacrant avec ardeur à la meilleure gouvernance possible, avec les moyens actuels, je tenterai très énergiquement, comme tous mes prédécesseurs, de presser le pas et de régler au plus vite la question nationale. Il faut accélérer la venue du jour où le gouvernement du Québec n'aura plus qu'à se consacrer à gouverner, plutôt que de perdre temps et énergie dans les tiraillements du système actuel, comme ont dû le faire péniblement Robert Bourassa tout comme René Lévesque.

Je suis évidemment pleinement conscient des exigences de la tâche et des risques qu'elle comporte et je n'accepte pas ce défi sans en avoir mesuré l'ampleur comme la complexité. Je veux m'engager humblement, mais avec courage, sur la voie difficile et aller avec notre peuple jusqu'au bout du chemin.

Je souligne au passage que je veux, en prenant cet engagement exigeant, être secondé comme jamais par les militants et militantes du parti, par les collègues députés et ministres et par les millions d'hommes et de femmes du Québec qui partagent déjà nos vues. J'ai besoin, vous le comprenez, de plus d'appuis encore que Lévesque, Parizeau et Bouchard, puisque nous avons le devoir non pas de faire avancer la cause, mais de la faire triompher. J'entends travailler, plus que jamais, en équipe, car, bien au-delà de ma personne, c'est un formidable effort collectif qui mènera le Québec à son destin. Je fais donc un appel pressant et du fond du cœur à l'engagement et à la mobilisation de tous et toutes. J'ai besoin de vous plus que n'importe quel autre chef auparavant. J'ai besoin de la jeunesse du Québec en particulier: il faut qu'elle nous aide à lui donner son pays pour qu'elle puisse en faire une terre exemplaire à tous égards. Je dis aux jeunes et à ceux qui le sont moins: nous sommes déjà demain.

Je veux donc, dans les semaines à venir, qu'un vaste débat s'instaure et que nous menions un grand exercice rassembleur et mobilisateur. J'irai dans toutes les régions du Québec pour discuter avec la population, en tout respect des idées de chacun, mais avec le désir ardent de faire partager notre idéal.

Notre parti sera le point d'ancrage du débat, mais il faut souhaiter qu'il s'étende à toute la société et porte notamment sur la souveraineté, la langue et la citoyenneté, la création de la richesse et sa répartition, les régions et le développement durable.

Toute ma vie, je me suis employé à expliquer et à convaincre. Je vous ai dit l'autre jour, en annonçant le début de ma période de réflexion et de consultation, que l'avancement de la souveraineté est pour beaucoup une affaire de pédagogie. On sait que la politique, c'est d'abord et avant tout l'action, mais l'action, quand elle concerne les humains, doit être accompagnée de la parole. Le métier politique comporte donc le devoir d'informer, d'expliquer et d'écouter – cela va de soi. Mon expérience comme professeur, acquise ici comme dans d'autres pays, devrait m'être de quelque secours dans les années qui viennent.

Grâce à mes prédécesseurs à la tête du Parti Québécois et grâce à d'autres grands hommes qui se nomment, par exemple, Pierre Bourgault et André D'Allemagne, à qui je rends hommage, et en raison du soutien que nous leur avons donné, des pas considérables ont été franchis. Le Québec que nous voulons est à portée de la main. De la marginalité en 1960, nous sommes passés à 50 % d'appui en 1995. J'ai le goût et l'énergie d'apporter, avec l'aide des ministres et des députés, une contribution décisive aux prochaines étapes et ainsi atteindre l'objectif. Mais il faut être des cents, des mille et des millions à travailler dans cette direction.

C'est parce que je compte sur cet effort massif que je soumets avec confiance ma candidature aux membres du Parti Québécois et que je les assure d'un combat incessant, mené au coude à coude avec eux, pour faire triompher nos idéaux et achever le seul dessein digne de notre patrie : qu'elle se gouverne elle-même et qu'elle façonne, avec les autres nations libres, une humanité meilleure.

Poursuivre l'objectif de la souveraineté tout en gouvernant avec vigueur

Allocution du premier ministre du Québec à l'occasion de son assermentation, Québec, le jeudi 8 mars 2001.

Vous avez devant vous le nouveau gouvernement du Québec, le gouvernement de toutes les Québécoises et de tous les Québécois.

Les hommes et les femmes qui le composent sont animés par la même ambition, la même passion : faire avancer le Québec, dans tous les aspects de sa vie collective et non seulement rechercher l'égalité de nos compatriotes quant à leurs chances de bonheur et d'épanouissement humain, mais encore promouvoir par la solidarité l'avènement réel de cette égalité. Nous ferons cela, tout en donnant, suivant nos convictions profondes, un nouvel élan vers la pleine affirmation nationale de notre patrie.

Depuis plus de quarante ans, le Québec s'est engagé résolument sur la voie de la modernité, et il occupe aujourd'hui une place enviable parmi les nations les plus développées et solidaires du monde, même si, reconnaissons-le, il n'a pas encore atteint la limite de son fabuleux potentiel.

Si nous sommes maintenant une nation solide et prospère, c'est notamment parce que les gouvernements qui se sont succédé ont défendu à leur manière les intérêts et la place du Québec au gré et au cours de l'histoire.

C'est avec fierté que les membres du nouveau gouvernement se voient confier la mission de se dépasser sans relâche pour que le Québec puisse aller encore plus loin et selon les valeurs qui lui sont propres.

Des défis exigeants mais emballants

Le Québec, comme la plupart des sociétés occidentales, est aujourd'hui confronté à un certain nombre de problèmes qui pourraient affecter l'avenir de notre société et la qualité de vie de l'ensemble des citoyens. Ce sont ces réalités qui constitueront les plus importants défis des membres de ce gouvernement.

Maintenir le cap sur la prospérité

Tout d'abord, il nous faudra maintenir le cap sur la prospérité. Les dernières années de croissance ne sauraient occulter l'équilibre fragile de l'économie québécoise dans la conjoncture présente. Sans cette prospérité, il devient inutile de parler de redistribution de la richesse. Il nous faudra donc profiter de la présente période, quoi qu'il arrive, pour consolider les assises de notre économie et pour parachever les transformations de nos grands programmes sociaux. Parallèlement, il faudra que le Québec s'assure de demeurer compétitif à l'échelle mondiale. […]

De façon particulière, il sera nécessaire d'accélérer la cadence dans les régions ressources du Québec pour leur permettre de prendre pleinement leur place dans la nouvelle économie en particulier, tout en allant au bout de la transformation de leurs richesses. Le Québec a besoin que toutes ses régions soient fortes pour rester prospères. […]

Lutter contre la pauvreté

Ce gouvernement est également très préoccupé par l'élargissement lent mais constant de l'écart que l'on observe entre les plus riches et les plus pauvres. Ce n'est pas le genre de société que nous voulons pour le Québec. J'ai déjà eu l'occasion de le dire, la lutte contre la pauvreté sera pour nous une obsession comparable à celle que nous avons entretenue pour combattre le chômage. Il est inacceptable que l'accroissement du commerce et de la richesse qui en découle ne s'accompagne pas d'un enrichissement de tous les groupes de la société. Le Québec ne pourra prétendre progresser s'il accepte qu'un nombre important de familles, et de jeunes notamment, restent pauvres. Tous les membres du gouvernement, peu importe les secteurs dans lesquels ils sont appelés à œuvrer, devront travailler à cette tâche. [...]

Relever le défi du savoir et des connaissances

Par ailleurs, dans le monde actuel, aucune société ne saurait prospérer si elle ne peut relever le défi du savoir et donner à tous ses citoyens la capacité de parfaire constamment leurs connaissances. Le Québec a un des taux de fréquentation scolaire parmi les plus élevés des pays de l'OCDE.

L'éducation et l'accès aux connaissances sont plus que jamais la clé de voûte de la prospérité. Le Québec a réussi à se hisser dans le peloton de tête des nations. Notre ambition est non seulement de l'y maintenir, mais de faire encore mieux. [...]

Gérer avec rigueur

Par ailleurs, il nous faudra prendre la juste mesure de notre capacité collective de dépenser. Ceux qui croient que le gouvernement va s'éloigner du déficit zéro sont dans l'erreur. Notre État national ne pourra pas se laisser entraîner de nouveau dans l'escalade sans fin de toutes les dépenses. J'attends de mes collègues qu'ils fassent preuve de rigueur, d'imagination et d'innovation pour trouver les solutions qui répondent concrètement aux besoins de la population et qui prennent en compte ses valeurs et ses priorités fondamentales.

Moderniser l'État québécois

Enfin, à une époque encore récente, une bonne partie de l'expertise et de l'innovation au Québec venait de la fonction publique. Notre société a progressé, des Québécoises et des Québécois ont pris les commandes dans plusieurs secteurs d'activité privés. L'État s'est retiré de plusieurs champs d'intervention pour se concentrer sur ses vraies tâches: moins d'État, mieux d'État, pourrions-nous dire.

D'une façon particulière, surtout depuis la Révolution tranquille, la fonction publique québécoise est compétente et de haut calibre. [...]

J'attends de la fonction publique québécoise d'aujourd'hui qu'elle accroisse sa capacité d'analyse et de prospective afin de suivre les changements qui se dessinent à l'échelle internationale et d'en mesurer les impacts sur le Québec. [...]

La maturité du Québec moderne

Ces défis que nous devons relever tous ensemble sont à la fois nouveaux parce qu'ils se posent à nous en des termes neufs, propres à notre temps, mais ils sont ceux aussi de la maturité parce qu'ils ont été portés à divers degrés par tous les gouvernements du Québec moderne.

Aujourd'hui, avec les membres de la nouvelle équipe ministérielle, j'ai la conviction profonde de prendre charge d'un héritage puissant et fécond que nous ont légué tous les premiers ministres de Jean Lesage à Lucien Bouchard.

Comme mes prédécesseurs issus du Parti Québécois l'ont bien démontré, on peut poursuivre l'objectif de la souveraineté et gouverner le Québec avec vigueur et efficacité. N'oublions pas que ce sont les souverainistes qui, pendant plus de quinze ans, ont donné aux Québécoises et aux Québécois des gouvernements qui ont fait avancer de façon spectaculaire leur vie collective. Je pense notamment à la Charte de la langue française, la protection du territoire agricole, le financement démocratique des partis politiques, l'assurance automobile, la politique familiale, la Loi sur l'équité salariale, l'assurance-médicaments, le rétablissement des finances publiques et la relance de l'économie et de l'emploi.

Avec l'équipe dont j'annonce la composition aujourd'hui, j'ai bien l'intention de poursuivre cette tradition d'un gouvernement qui veut régler la question nationale, mais qui en même temps, inlassablement et chaque jour, améliore le Québec et les chances de bonheur des hommes et des femmes qui y vivent.

L'héritage de Lucien Bouchard

Je voudrais souligner le sentiment de fierté que je ressens en prenant officiellement la succession d'un homme d'État tel que Lucien Bouchard. Il a dirigé notre gouvernement avec courage, lucidité et humanisme pendant cinq ans.

Les traces de son œuvre sont profondes, et il sera sûrement considéré, à ses réalisations, comme l'un des grands premiers ministres du Québec.

C'est sous sa direction que les finances publiques du Québec ont retrouvé l'équilibre après un demi-siècle et que l'économie a performé plus que jamais.

L'action du gouvernement

Nous n'oublierons pas que c'est sous la gouverne de Lucien Bouchard que notre système de santé a effectué les changements profonds et difficiles qui assurent aujourd'hui sa pérennité et son développement.

À cet égard, les importants réinvestissements qui ont été consentis et les travaux de la commission Clair permettent d'envisager sous un jour meilleur les défis que nous devons encore relever. [...]

Que dire maintenant de la réforme municipale, portée par la vision et la détermination de celle qui conserve la responsabilité de l'achever. [...] Je suis convaincu que cette réforme s'imposera comme une des grandes œuvres politiques de la présente décennie.

Il est remarquable de constater l'appui élevé qu'a toujours conservé le gouvernement à travers ces nombreuses et importantes réformes qui ont parfois demandé d'énormes sacrifices. Nous puisons dans cette confiance la conviction que notre action correspond à la recherche du bien commun, la seule raison d'être de la démocratie. Cette confiance nous confirme dans notre détermination de poursuivre et de consolider les réformes entreprises et aussi d'en informer mieux la population. [...]

Une équipe de grande valeur,
donnant une place majeure aux femmes

Pour prendre en charge ces responsabilités, j'ai la grande fierté d'avoir auprès de moi, aujourd'hui, l'équipe qui m'accompagnera. Il s'agit d'une équipe de grande valeur profondément modifiée et dont le mandat est très exigeant.

Comme vous avez pu le constater vous-mêmes, cette équipe se compose d'un grand nombre de femmes compétentes et expérimentées. L'occasion ne pouvait pas être plus appropriée, en cette Journée internationale des femmes, pour démontrer clairement le rôle stratégique que les femmes jouent dans la conduite des affaires publiques québécoises et qu'elles joueront de plus en plus. Près du tiers des portefeuilles ministériels sont confiés à des femmes, ce qui place le Québec à l'avant-garde des gouvernements modernes. Surtout, jamais autant de postes stratégiques n'auront été occupés par un aussi grand nombre de femmes dans toute l'histoire du gouvernement du Québec. [...]

Un objectif : réaliser la souveraineté

Notre système parlementaire confie la direction de l'État au parti majoritaire, avec toutes les orientations qui sont les siennes.

A few words for the benefit of our English-speaking compatriots to reaffirm that this government will dedicate its efforts to the well-being of all citizens.

Of course, the majority party of government is committed to the solution of the Quebec national question but like we did so well during our 15 years in power we will maintain our usual dedication in all our government tasks and duties. This government will go on sustaining economic growth, wealth creation and equal redistribution of it.

The absolute respect of every one's rights in all aspects of their lives is part of our deepest convictions.

I warmly invite you to participate fully in the construction of a plural and inclusive Quebec. A Quebec that will stand proud beside the other occidental nations.

Il est donc clair que je poursuivrai avec toute ma détermination la quête de notre souveraineté nationale et de tous les autres idéaux progressistes du Parti Québécois. Leur pleine réalisation dépend d'ailleurs largement d'un statut de pays complet et reconnu pour notre nation, suivant les mots de René Lévesque dans les derniers mois de sa vie.

Mon action en ce sens est d'ailleurs basée sur une idée centrale et puissante qui est maintenant largement consensuelle : le Québec forme une nation.

Mon parti, tout comme le Bloc Québécois, préconise la solution retenue et souhaitée par l'ensemble des nations de la terre : la souveraineté, dont l'essence réside dans la totalité des pouvoirs législatifs, fiscaux et internationaux. On sait par ailleurs que la façon moderne d'exercer cette souveraineté implique pour les nations libres d'en mettre certains éléments en commun. Elles créent aussi des institutions pour gérer leurs relations et éviter tout déficit démocratique. C'est pourquoi je crois profondément que notre avenir national repose dans la création d'une union Canada-Québec binationale et de type confédéral, inspirée du modèle exemplaire qui donne à l'Europe de l'Ouest harmonie et prospérité. Il est également envisageable qu'ultimement un tel modèle rejoigne les trois Amériques si notre partie du monde suivait d'une manière ou d'une autre l'exemple européen.

Je suis profondément convaincu, comme des millions de Québécoises et de Québécois, que cette formule basée à la fois sur des valeurs éternelles et sur une éclatante modernité constitue le meilleur règlement de notre lancinante question nationale et servirait aussi bien les intérêts du Québec que ceux du Canada.

Par ailleurs, je veux exprimer tout mon respect pour les opinions contraires, et ceux et celles qui les partagent. Mon espoir est de convaincre le plus grand nombre possible de nos concitoyens et concitoyennes de la justesse de mes vues et de celles de l'ensemble du mouvement souverainiste, mais dans l'estime parfaite de toutes les autres tendances. C'est pourquoi le choix des moyens d'action respectera les plus grandes normes de l'éthique démocratique. [...]

Un plan d'action
pour le progrès de la nation

*Discours d'ouverture de la 2ᵉ session
de la 36ᵉ législature, le 22 mars 2001.*

[...] Plus qu'à aucun autre moment de notre histoire, il est admis que le Québec forme une nation. Une nation civique, inclusive et qui transcende toute forme d'ethnicité. Le gouvernement du Québec a le devoir d'affirmer et de consolider ces réalités de concert avec l'Assemblée nationale dont les travaux doivent en témoigner ici, devant le Canada et devant la communauté internationale. Les femmes et les hommes qui entreprennent aujourd'hui les travaux de la 2ᵉ session de la 36ᵉ législature sont les élus démocratiques de notre nation et ont le devoir de servir ses intérêts comme ses valeurs profondes. Cela se fera avec ardeur et dévouement, j'en suis assuré.

Nous avons d'excellentes raisons d'être fiers de ce qu'est devenue cette nation québécoise dont la plus grande richesse est d'abord et avant tout humaine. Les sept millions et demi de personnes qui peuplent notre vaste territoire ont aujourd'hui l'une des meilleures espérances de vie au monde. Elle s'est accrue de cinq ans durant les vingt dernières années. Notre population se range au nombre des plus scolarisées du monde. Notre système d'éducation a fait passer le taux d'obtention d'un diplôme d'études secondaires de 57 % à 84 % en vingt-cinq ans. Notre taux de scolarisation dépasse maintenant de 7 % celui de la moyenne des pays de l'OCDE. Sur le plan de la réussite éducative, ces progrès ont permis de doubler le taux d'obtention d'un diplôme d'études supérieures. Nous avons l'honneur d'être au deuxième rang des pays avancés pour la part de notre produit national brut consacré à l'éducation. Comme il s'agit de la clé du développement social, on peut affirmer que si le Québec est riche sur le plan humain, c'est parce qu'il a fait le pari de la solidarité et qu'il s'assure que le progrès bénéficie au plus grand nombre.

Les plus démunis comme les mieux nantis ont profité de la conjoncture favorable des dernières années. Le nombre de prestataires de la sécurité du revenu a été réduit de façon spectaculaire depuis 1996. Ces résultats témoignent d'une générosité collective dont l'État est le relais mais qui est aussi le fait des divers acteurs de l'économie sociale dont le Québec offre le modèle peut-être le plus avancé du monde. Cette répartition de la richesse fut facilitée par une croissance économique vigoureuse au cours des quatre dernières années, dépassant de 2 % en moyenne le taux de croissance annuel des vingt dernières années. Le marché du travail a retrouvé son dynamisme avec la création de près de trois cent mille nouveaux emplois en quatre ans et un taux d'emploi record de 67,3 %. Le taux de chômage est le plus bas depuis vingt-cinq ans. Les investissements productifs du secteur privé ont crû de 60 %, soit 10 % de plus que dans l'ensemble canadien.

L'économie du Québec se classe d'ailleurs parmi les plus diversifiées du monde. La moitié de toutes les exportations canadiennes de haute technologie proviennent d'ici. Le Québec a démontré, durant les dernières années, une formidable capacité d'ouverture au monde comme l'illustre la croissance vertigineuse de ses exportations qui fut de 130 % en dix ans. De toutes les nations de la terre, le Québec arrive au septième rang pour le commerce avec les États-Unis d'Amérique.

Le Québec, on le sait, est aussi une terre de culture, un lieu de création, la patrie d'un grand nombre de femmes et d'hommes de lettres, de théâtre, de cinéma, de télévision, de musique, de danse et de cirque, un lieu d'expérimentation et d'audace créatrice. Une audace saluée par l'ensemble de la population québécoise qui soutient ses artistes de façon exemplaire et apprécie leurs œuvres, pleure leur disparition comme dans le cas des regrettés Juliette Huot et Jean Besré. Une audace et une originalité connues aussi par des millions de personnes qui, dans le monde, ont vu nos créateurs et créatrices à l'œuvre au Salon du livre de Francfort, dans une exposition à Berlin, lors d'un spectacle de danse à Tokyo, sous un chapiteau à Las Vegas, dans un théâtre de Paris, de Londres ou d'Écosse.

Mais notre fierté légitime de toutes ces réalisations ne doit pas nous amener à occulter quelques parties moins brillantes de notre réalité. Une réalité qui nous rappelle, pour reprendre l'expression de l'historien français Ernest Renan, que la nation « est un plébiscite de tous les jours ». Notre plus grande erreur serait de croire que ce que nous avons bâti est acquis pour toujours et de penser que le progrès sera assuré sans effort. Une réalité révélant qu'en dépit de nos labeurs et de nos réussites il subsiste encore, par exemple, trop de décrochage scolaire, de chômage, de gens qui attendent dans les salles d'urgence des hôpitaux, de personnes handicapées pas aussi bien secondées qu'elles devraient l'être, de femmes dont le salaire n'est pas encore égal à celui des hommes pour le même travail, de régions inégales dans leur développement.

Le Québec d'aujourd'hui fait donc face encore à de nombreux défis qu'il doit relever en effectuant les choix qui s'imposent avec lucidité et rigueur. Le défi le plus grand est sans doute de maintenir le cap sur la prospérité, de l'étendre à l'ensemble des régions du Québec et de la partager équitablement aussi entre les personnes. Cela nous oblige en même temps à prendre acte de l'équilibre fragile de notre économie dans la conjoncture mondiale actuelle. Il faut donc garder la juste mesure de notre capacité collective de dépenser. Nos finances doivent rester équilibrées. Notre État national ne se laissera pas entraîner de nouveau dans l'escalade sans fin de toutes les dépenses. L'amélioration de l'état des finances publiques doit être une préoccupation constante non seulement pour préserver notre capacité actuelle, mais pour assurer l'avenir des générations futures et garantir leur liberté d'action collective.

Pour relever ces défis, le gouvernement doit assumer toutes ses responsabilités sociales, culturelles, économiques et de gestion. Il compte le faire avec énergie, compétence et dévouement en misant sur une administration dont les fonctionnaires ont depuis longtemps prouvé leur qualité professionnelle et leur sens de l'État. [...]

Un des premiers sentiments qui animera le gouvernement sera celui de la responsabilité.

Pour assumer cette responsabilité et pour le faire avec humanité et efficacité, le gouvernement a établi une série de priorités. Des priorités nationales qui constituent un programme gouvernemental dont les lignes de fond sont esquissées dans le présent exposé. [...]

Le nouveau gouvernement veut d'abord être celui de la solidarité. Dans les lois qu'il soumettra à l'attention de cette Assemblée ainsi que dans les politiques, plans et stratégies qu'il définira et réalisera, le gouvernement mettra l'accent sur la solidarité sociale, la santé, la famille et l'enfance, l'éducation, l'emploi, les régions et la culture. Nous relèverons le défi de mener à terme ces objectifs prioritaires tout en recherchant, comme c'est notre devoir, le règlement de la question nationale. [...]

La mondialisation des marchés exigera que nous nous donnions de nouveaux instruments d'action.

La gestion de l'économie exige aujourd'hui le renforcement des structures de concertation supranationales (OCDE, OMC, BIT, FMI, Banque mondiale, etc.).

Or, ce sont les États souverains qui participent à ces instances supranationales, dont le rôle devient aujourd'hui plus primordial.

La souveraineté du Québec devient dans ce contexte encore plus nécessaire : le peuple du Québec ne doit pas mettre en péril sa langue, sa culture et ses intérêts économiques par son absence des forums décisionnels internationaux. Il doit prendre les moyens pour devenir membre de plein droit de ces institutions déterminantes pour son avenir le plus rapidement possible. Autrement, faute de souveraineté, des décisions vitales ne seront plus prises ici dans cette Assemblée, mais à des tables internationales. Sans la souveraineté, la mondialisation éloignera le pouvoir de cette Assemblée et la démocratie de notre peuple.

La Loi constitutionnelle de 1867 représentait un pacte entre les deux nations formant le Canada. Elle définissait les pouvoirs de chacun des deux ordres de gouvernement et donnait au Québec des responsabilités exclusives dans plusieurs domaines.

Dans le présent contexte mondial, la dérive centralisatrice contraire au pacte de départ aura des effets de plus en plus néfastes.

Ce pourrait être le cas par exemple dans des domaines aussi variés que les ressources naturelles, l'environnement, l'adoption internationale, la fiscalité, l'administration de la justice, le travail, la santé et d'autres encore.

De même, les discussions qui s'amorcent sur la Zone de libre-échange des Amériques porteront sur des questions touchant directement plusieurs champs de compétence du Québec.

Le débat entourant la place du Québec au Sommet des Amériques est venu nous rappeler le prix que doit payer une nation qui est privée de sa souveraineté. Le Québec manquerait à son devoir s'il acceptait cette situation sans bouger.

Il n'y a pas en place de processus formel de participation pour faire entendre la voix du Québec sur les questions qui touchent ses propres champs de compétence.

Ce qui n'est pas le cas, notons-le, au sein de la Communauté européenne, qui est une source d'inspiration remarquable dans l'aménagement des rapports entre nations libres.

On sait que les tribunaux ont déjà indiqué au gouvernement fédéral qu'il ne peut pas ignorer les provinces lorsqu'il signe des ententes internationales dans des domaines de leur compétence.

C'est pourquoi, dans le prolongement des gestes qui ont été posés au cours des quarante dernières années, le gouvernement du Québec prend aujourd'hui l'engagement de présenter dorénavant à cette Assemblée, pour approbation, tout traité international qui concerne l'une ou l'autre des responsabilités constitutionnelles du Québec.

Cela signifie que le Québec ne pourra être lié ou être considéré comme lié par un engagement international que dans la mesure où il aura ratifié cet engagement par une décision de son Assemblée nationale.

Cela permettra aux députés de participer au débat et à nos concitoyennes et concitoyens d'être mieux informés sur les grandes questions des relations internationales qui affectent notre société.

The reality of Quebec also embraces the situation of people belonging to the English-speaking community, that enriches Quebec with its economic, social and cultural vitality and contributes to Quebec's diversity. The government will take particular care to listen to the English-speaking community and its representatives, and will ensure that its rights are protected.

My government is committed to an ongoing, meaningful dialogue with the English-speaking community.

Cette réalité est aussi le fait de la présence sur le territoire du Québec de onze nations autochtones que notre Assemblée n'a pas hésité à reconnaître comme telles en 1985 et 1989 et avec lesquelles des négociations, basées sur les Orientations gouvernementales adoptées en 1998, ont déjà permis d'établir des relations harmonieuses, solides, respectueuses et durables. Le gouvernement entend rappeler qu'en cette année de commémoration du Tricentenaire de la Grande Paix de Montréal de 1701, il est disposé à poursuivre un dialogue constructif avec les nations autochtones du Québec et à rechercher, par la négociation, des solutions mutuellement acceptables relativement à l'exercice d'une plus grande autonomie gouvernementale, et financière, par ces nations.

Tout en assumant l'entièreté de ses responsabilités, le gouvernement n'entend pas occulter la question nationale.

Il n'hésitera pas à situer la question nationale dans le contexte plus large de l'avenir politique du Québec. Et il le fera parce que l'avenir d'un peuple n'est pas une question partisane. Le gouvernement doit assumer la responsabilité d'éclairer le plus possible les diverses voies de l'avenir.

De nombreuses raisons militent en faveur de la poursuite d'une réflexion par la société civile, les partis politiques et le gouvernement lui-même sur l'avenir politique du Québec. Il faut donc que tous ces acteurs continuent de se demander quel est le statut qui assurera le mieux le respect des intérêts nationaux du Québec. S'interroger sur le statut politique qui permettra au Québec d'exercer les compétences qui lui sont nécessaires pour assurer librement son développement économique, social et culturel est un devoir de tous les partis présents dans cette Chambre et qui le font d'ailleurs, chacun à leur manière.

Les nations se gouvernent elles-mêmes ou aspirent à le faire. L'histoire a entrelacé les destins du Québec et du Canada. Niant l'esprit historique de ces liens, le gouvernement fédéral a voulu, par sa Loi sur la clarté, priver le Québec de la possibilité d'envisager un rapport avec le Canada qui soit fondé sur un autre type d'association que celui qui prévaut actuellement. Tout cela se situe d'ailleurs dans la logique du changement unilatéral de 1982 et de la Constitution que nous n'avons jamais signée. Le gouvernement, avec l'appui d'ailleurs des autres partis en cette Chambre, a rappelé, et continuera de rappeler, que cette Loi sur la clarté est illégitime et qu'elle ne saurait « réduire les pouvoirs, l'autorité, la souveraineté et la légitimité de l'Assemblée nationale ni contraindre la volonté démocratique du peuple québécois à disposer lui-même de son avenir ».

Le gouvernement continuera d'explorer la voie d'un nouveau partenariat avec le Canada et notamment l'idée d'une nouvelle union de type confédéral entre États souverains. Cela s'inspire de l'expérience européenne qui a suscité un grand intérêt chez plusieurs de mes prédécesseurs, dont Robert Bourassa qui l'avait évoquée dans la célèbre question de Bruxelles.

Pour alimenter la réflexion sur les diverses dimensions des options qui s'offrent au Québec, le gouvernement procédera au cours des prochains mois à la mise à jour, quelque dix ans après leur publication, des études réalisées dans le cadre des travaux de la commission Bélanger-Campeau sur l'avenir politique et constitutionnel du Québec et de la Commission d'étude des questions afférentes à l'accession du Québec à la souveraineté, deux initiatives du dernier gouvernement de Robert Bourassa. [...]

Le Québec fait face à un défi majeur de gouvernance : les besoins en santé, en éducation et en services sociaux croissent à un rythme qui va en s'accélérant.

Devant ces besoins croissants, le Québec dispose de moyens limités. Pourtant, les Québécoises et les Québécois paient déjà suffisamment d'impôts et de taxes. Le drame, c'est que la moitié de ceux-ci prennent le chemin d'Ottawa, sans aucune garantie qu'ils serviront à financer les priorités du Québec. En fait, l'expérience récente démontre clairement qu'Ottawa est davantage préoccupé d'accroître sa visibilité que de répondre aux priorités de nos concitoyens. Le gouvernement fédéral multiplie les intrusions dans les champs de compétence du Québec. Pendant ce temps, il se refuse à utiliser ses énormes surplus afin de corriger l'impact des nombreuses compressions qu'il a effectuées dans ses paiements de transfert. En bref, notre argent est à Ottawa alors que les besoins sont au Québec.

Nous connaissons la véritable solution au problème : comme le disait Daniel Johnson, le père, il faudrait contrôler 100 % de nos impôts et de nos taxes et décider pleinement de leur meilleure utilisation, ce que permettrait la souveraineté.

En attendant, notre gouvernement entend prendre les moyens pour favoriser une solution à court terme. Une première étape sera la mise sur pied d'une commission, composée d'experts et de représentants du milieu, qui sera chargée de faire rapport sur le déséquilibre fiscal qui prévaut entre le gouvernement fédéral et le Québec et les façons de le corriger. [...]

Le gouvernement du Québec ne doit pas se dérober devant les responsabilités nationales qui lui incombent. Il doit gouverner pour le bien public et, tirant sa légitimité de l'Assemblée nationale et de la confiance dont celle-ci l'investit, il doit associer les députés qui en font partie à l'élaboration des mesures du programme gouvernemental. [...]

En ces années de réflexion identitaire et linguistique, je souhaite en terminant que nous entendions ensemble le cri du cœur d'un grand poète québécois, Marco Micone, qui dans son *Speak What*, a écrit :

> nous sommes cent peuples venus de loin
> partager vos rêves et vos hivers
> [...]
> nous sommes cent peuples venus de loin
> pour vous dire que vous n'êtes pas seuls.

C'est dans cet esprit d'ouverture que le gouvernement du Québec veut poursuivre le débat sur notre avenir politique et, en même temps, gouverner de façon efficace dans la solidarité, l'équité et avec le plus haut sens de ses multiples responsabilités. [...]

Le modèle québécois de développement : créer la richesse et la justice sociale

Au lieu d'un « plan » utopique, une stratégie de développement

Allocution prononcée au Sommet économique de La Malbaie, mai 1977.

L'histoire de nos difficultés et faiblesses a déjà fait l'objet de trop d'exposés pour que je m'y attarde. Évidemment, le problème du chômage reste très préoccupant, tant sur le plan économique que sur le plan social. L'inflation continue à ronger un niveau de vie déjà insuffisant pour plusieurs.

Cette détérioration des conditions économiques n'est pas pire au Québec qu'ailleurs, mais la descente conjoncturelle ici part d'un niveau d'emploi peu reluisant : c'est de passer de 7 % à 10 % de chômage qui devient catastrophique.

C'est donc la structure économique qui est en cause, sa productivité, son dynamisme, sa capacité concurrentielle et son pouvoir de générer un niveau d'emploi suffisant.

Nous ne sortirons pas d'ici avec un plan de développement économique. Ce serait de l'utopie. Mais je crois fermement que nous pouvons rassembler de nouveaux matériaux de base pour asseoir une stratégie de développement. C'est d'ailleurs ce projet que je compte pousser de façon prioritaire avec les meilleures équipes disponibles au cours des prochains mois.

Il faut concevoir un plan d'action concret basé sur un ensemble de politiques sectorielles choisies et cohérentes, une stratégie ou chaque élément devra se justifier non seulement en soi, mais aussi par rapport aux autres secteurs touchés.

Qu'il s'agisse d'investissements dans la transformation des métaux, notamment dans la sidérurgie, dans les pâtes et papiers ou dans l'agro-alimentaire, il faudra investir en tenant compte d'une récupération maximale des effets de développement, particulièrement sur les industries de biens d'équipements.

Par exemple, investir massivement dans la modernisation de l'industrie des pâtes et papiers en achetant la totalité de nos « machines à papier » à l'extérieur constituerait du masochisme économique.

Cette stratégie doit se situer dans un cadre triple : d'abord celui d'une croissance accélérée visant un taux moyen de 5 % au cours des cinq prochaines années ; en second lieu, ce cadre doit prévoir une distribution équitable des bénéfices de cette croissance aux travailleurs et aux firmes ; troisièmement, cette stratégie doit être basée sur la participation active et intéressée de tous les agents économiques, tant au niveau de l'élaboration du projet qu'à celui de sa réalisation.

Voici maintenant quelques jalons de cette stratégie envisagée.

D'abord, il y a cette idée centrale d'une transformation accrue des richesses naturelles sur le territoire, et ceci jusqu'à la limite économique. Il est inadmissible que la proportion des exportations de minerai brut continue d'augmenter, passant de 27 % en 1950 à 33 % en 1974. Il faut quitter cette ornière d'un secteur primaire trop souvent enclavé et disloqué par rapport au secteur de transformation.

Deuxièmement, les exportations de produits à forte valeur ajoutée doivent faire l'objet de mesures précises ; qu'il s'agisse du financement ou de la prospection des marchés, il faut se doter d'outils nettement plus agressifs sur les marchés étrangers. Dans ce domaine, le cadre stratégique devra impliquer au premier chef l'action directe de l'entreprise privée. L'État seul n'y peut rien mais, comme allié, il peut être extrêmement précieux.

Dans le secteur manufacturier, des efforts majeurs doivent être entrepris tant au niveau de la modernisation qu'à celui de la recherche d'une productivité accrue. Des branches industrielles devront être clairement identifiées aux fins d'une action cohérente à moyen et long termes dépassant le niveau des anciennes pratiques ponctuelles. Il faudra songer à des investissements majeurs, soit par l'entreprise privée seule ou associée aux entreprises d'État. L'action purement publique s'imposera dans des secteurs stratégiques ou mal desservis.

Bien sûr, un effort aussi soutenu dans le domaine des investissements productifs devrait inclure une meilleure canalisation de l'épargne institutionnelle, la suppression des dépenses publiques somptuaires, une meilleure utilisation des profits pour les réinvestissements et ultimement la réduction, par voie d'incitation à l'épargne, des dépenses de consommation privée les moins utiles au développement économique.

La stratégie devra également prévoir l'urgente nécessité de combler notre carence en bons gestionnaires, plus rares encore que les entrepreneurs.

Nous avons des difficultés mais elles ne doivent pas nous obséder, car nos actifs sont prodigieux : mines, forêts, énergie hydroélectrique et, par-dessus tout, des ressources humaines maintenant qualifiées. Songeons également aux formules originales et productives qu'a su développer le secteur coopératif. Pensons aussi à cette nouvelle volonté des Québécois d'innover et de participer aux défis socioéconomiques. C'est sur ces bases que nous devons fonder nos espoirs de réussite. À eux seuls, le grand modèle économétrique et la planification académique ne peuvent que nous décevoir. Moins ambitieuse peut-être, une stratégie de développement partant du concret nous offre d'excellentes chances de succès.

Mais, pour cela, il nous faut résolument tourner le dos aux attitudes trop souvent centrées sur l'affrontement pour l'affrontement. C'est Jacques Grand'Maison, sociologue québécois engagé, qui écrivait récemment : « Quand une démarche politique ou même une façon de vivre se résume à la revendication, il n'y a plus d'avenir, ni capitaliste ni socialiste. » J'ajouterais, ni social-démocrate !

Aujourd'hui, le gouvernement du Québec propose aux Québécois d'investir dans un projet de développement accéléré de l'économie. J'ai la ferme conviction que nous allons nous engager dans des avenues nouvelles et créer un style de développement d'ici où les Québécois se sentiront à l'aise et directement impliqués.

Les atouts économiques majeurs du Québec

Allocution d'ouverture prononcée au congrès
de la Chambre de commerce du Québec, novembre 1978.

[...] J'aimerais revenir à ce qui concerne de plus près le thème, la toile de fond de votre congrès : les atouts de base du Québec, ceux sur lesquels se dessine son avenir économique.

Là encore, le Québec ne présente pas que des passifs : il possède une population active de plus en plus instruite, efficace et qui utilise son esprit d'entrepreneurship pour des tâches de plus en plus productrices. Les sources d'épargne disponibles sont abondantes. Les ressources naturelles seront de plus en plus en demande dans un monde où elles se font de plus en plus rares. En particulier, notre potentiel hydro-électrique nous place dans une situation très favorable à mesure que les problèmes énergétiques mondiaux deviennent aigus. Enfin la qualité de vie de nos villes et campagnes va devenir une valeur de plus en plus précieuse dans ce monde d'opulence. [...]

Simon Kuznetz, Prix Nobel d'économie de 1976, affirme que la croissance des économies industrialisées repose avant tout sur la qualité de leur population active.

C'est là également un atout majeur du Québec. Si, dans les années récentes, la société québécoise consentait des sacrifices importants pour instruire sa jeunesse, ces efforts commencent à porter fruit. Alors qu'en 1960 près de 45 % de la main-d'œuvre avait une scolarité de sept ans ou moins, ce taux était tombé de façon draconienne à moins de 32 % en 1976.

Cette population active est donc de plus en plus instruite. Elle est aussi très jeune avec tout ce que cela comporte comme réserves et comme potentiel de productivité : ces réserves sont énormes quand on considère que plus de 27 % de notre population se situe dans la tranche d'âge de 15-24 ans alors qu'aux États-Unis et en France ce groupe représente à peine 20 % et 16 % de la population en âge de travailler.

On dit souvent par ailleurs que l'entrepreneurship fait défaut au Québec. À mon avis, ce genre d'affirmation doit être sérieusement nuancé. Une étude du professeur Jean-Marie Toulouse de l'École des Hautes Études Commerciales démontre que la différence observée entre le comportement des hommes d'affaires québécois francophones et celui des Canadiens anglais ou des Américains ne réside pas tellement dans les caractéristiques socioéconomiques des Québécois par rapport aux Anglo-Saxons (âge, éducation, style de gestion, ambition, etc.), mais plutôt dans la nature des secteurs où s'est exprimé cet entrepreneurship.

C'est en effet dans la création d'entreprises du secteur tertiaire ou d'industries socioculturelles que les Québécois francophones ont exercé davantage leurs capacités. Cette situation peut s'expliquer en partie pour des raisons historiques remontant aux XVIIIe et XIXe siècles : le commerce international et les fonds disponibles ont d'abord été largement contrôlés, après la Conquête, par les Anglo-Saxons à l'intérieur de l'Empire britannique, puis intégrés par la suite dans le réseau d'échange avec les États-Unis.

Mais les choses changent rapidement. Le financement est aujourd'hui disponible à tout entrepreneur qualifié et l'échange s'est internationalisé. Le réseau d'information – entre la banque, le client, le fournisseur et l'entreprise –, autrefois très déficient pour l'entrepreneur québécois, se développe rapidement. Tant et si bien que, depuis quelques années, il apparaît chaque année relativement autant de nouvelles entreprises au Québec qu'en Ontario. Le nouveau dynamisme des Québécois, avec le complexe d'infériorité dans le domaine des affaires qui s'estompe de plus en plus, ne peut qu'accélérer ce développement. [...]

Dans le domaine des connaissances techniques et scientifiques, le Québec a aussi fait des pas de géant. À titre d'exemple, plusieurs entreprises québécoises d'ingénierie-conseil ont acquis leurs lettres de noblesse sur le plan international. Selon la Fédération internationale, les ingénieurs-conseils du Québec se situent au quatrième rang en importance dans le monde. Parmi les dix plus grandes firmes du monde, trois sont québécoises. De sorte qu'une part importante – environ 40 % – des contrats obtenus par les firmes québécoises proviennent aujourd'hui de l'extérieur du Québec. [...]

En fait, contrairement à certains préjugés répandus, les Québécois ont toujours été, compte tenu de leurs revenus, des épargnants fort « vertueux ». Nos performances – quasi uniques au monde – réalisées dans le domaine des coopératives d'épargne et de crédit de même que dans l'assurance-vie témoignent d'ailleurs de cette propension exceptionnelle des Québécois à épargner. [...]

En fait, comme c'est le cas pour la plupart des pays développés, le Québec est un exportateur net de capitaux. Une étude du Bureau de la statistique du Québec révèle qu'entre 1947 et 1971 les exportations nettes de capitaux du Québec totalisaient 10,6 milliards de dollars. [...]

La présence de richesses naturelles au Québec a toujours constitué un facteur de développement très important.

Ces possibilités deviennent par ailleurs fort prometteuses en raison même de la disponibilité abondante d'une autre ressource majeure : l'hydroélectricité. En effet, les ressources naturelles dont dispose le Québec pourraient prendre une plus-value exceptionnelle dans le contexte actuel de rareté croissante d'énergie. De 20 500 mégawatts à la fin de 1977, la puissance hydroélectrique disponible dépassera 40 000 mégawatts d'ici une douzaine d'années. Cette disponibilité d'énergie place le Québec dans une position exceptionnelle par rapport à ses voisins si on considère qu'à l'heure actuelle la puissance électrique moyenne disponible pour chaque

Québécois représente déjà le double de l'énergie électrique disponible par habitant aux États-Unis. [...]

Je m'en voudrais de ne pas mentionner brièvement parmi les atouts du Québec la qualité de la vie. C'est là bien sûr un concept difficile à mesurer et à chiffrer. Qu'il me suffise de souligner, à titre d'illustration, que Montréal possède un des taux de criminalité les plus bas en Amérique du Nord. De plus, à son environnement culturel exceptionnel, alliant souvent le meilleur de l'Amérique et de l'Europe, s'ajoute un environnement physique rendu exceptionnel par la possibilité quasi unique au monde d'accéder – en moins d'une heure et demie de voiture – à deux chaînes de montagnes et à des centaines de lacs. Enfin, malgré cette rente de situation, le prix des terrains y est abordable et explique en partie que le coût moyen de l'habitation y soit inférieur de près de 40 % à celui de Toronto ou d'Ottawa.

À l'heure où le Québec se voit appelé à se prononcer sur des choix qui seront déterminants pour son avenir, cet exercice de réflexion que vous vous apprêtez à faire sur les actifs du Québec m'apparaît fondamental. Comme pour tout individu qui réfléchit sur son avenir, il importe qu'il se penche non seulement sur ses limites, mais aussi et peut-être surtout sur ses forces et ses potentiels à développer. Sinon, dans toute décision majeure quant à son orientation future, il serait condamné – un peu par défaut – à ne rien faire.

C'est en ce sens que j'en suis arrivé à la conclusion que le Québec a certes ses limites et que tout ne lui est pas permis. Mais je demeure aussi fondamentalement convaincu qu'un examen lucide de nos potentiels et faiblesses ne peut que nous amener à cette conclusion que nous pouvons faire mieux, beaucoup mieux. D'ailleurs, dans son rapport de 1972 intitulé *Limits to Growth*, le Club de Rome ne concluait-il pas que l'avenir appartient aux pays dont la population est jeune et instruite, qui disposent de richesses naturelles importantes et qui se spécialisent dans les échanges internationaux ?

Bâtir le Québec

Contact Laval, *le 26 septembre 1979.*

On a souvent déploré, depuis une vingtaine d'années, l'absence au Québec d'orientations précises et de stratégie bien articulée en matière de développement économique.

C'est donc avec une certaine fierté que j'ai présenté le 6 septembre dernier, en compagnie du premier ministre, le premier énoncé de politique économique jamais mis au point au Québec. La publication de ce document rompt avec l'impuissance qui a caractérisé les tentatives passées. Aucun autre gouvernement québécois n'avait réussi à effectuer une telle démarche, même ceux qui se targuaient de compétence économique. Cette initiative gouvernementale constitue une première au Québec, précisent les organismes patronaux, telle la Chambre de commerce.

Bâtir le Québec est un outil précieux, tous – ou presque tous – le reconnaissent. Parce que le gouvernement met ses cartes sur la table. Parce que le gouvernement expose ses orientations à court et moyen termes en matière économique. Parce que ce document présente un plan cohérent connu de façon collective par tous les ministres à vocation économique. Finalement parce qu'il informe la population du Québec et ses agents économiques de sa stratégie de relance.

Cette relance est possible et ne dépend que de nous. Le Québec possède de nombreux atouts tant au niveau des ressources humaines qu'à celui des richesses naturelles, soulignons surtout notre vaste potentiel d'énergie hydroélectrique.

Il s'agit de savoir utiliser à bon escient tous ces avantages déterminants, de planifier nos actions et d'unir nos efforts pour réaliser pleinement le Québec. L'énoncé de politique économique en trace d'ailleurs les grandes avenues.

Cependant, plusieurs des leviers économiques majeurs se trouvent entre les mains du gouvernement fédéral et échappent ainsi au gouvernement québécois. Certains objectifs fondamentaux en matière économique ne pourront être réalisés sans un transfert vers le Québec de pouvoirs économiques. Entre-temps, le gouvernement fera l'impossible pour mettre en place la plupart des moyens d'action élaborés dans l'énoncé de politique économique. Et prochainement il invitera tous les Québécois à affirmer leur volonté de rapatrier la majorité des pouvoirs essentiels pour qu'ensemble nous puissions bâtir le Québec.

L'économie du Québec
au cours des prochaines années :
les conditions de la relance

Introduction au deuxième volet
de Bâtir le Québec, *13 mai 1982*.

La stratégie fédérale, qui repose actuellement sur des taux d'intérêt élevés et sur une baisse de son déficit budgétaire par la diminution des paiements de transfert aux provinces, n'a pas que des effets conjoncturels qui disparaîtront avec un changement de politique. Les bouleversements survenus au cours des derniers mois indiquent clairement que les économies canadienne et québécoise paieront encore longtemps pour les excès de cette politique monétaire qui a déjà trop duré.

Les taux d'intérêt élevés visent à contrer l'inflation en réduisant pour un certain temps la croissance de chacune des composantes de la demande finale : investissements, consommation de biens et de services, importations. Ce stade de ralentissement temporaire de la croissance de la demande a été largement dépassé au Canada. Les taux d'intérêt sans précédent ont augmenté à des niveaux critiques les coûts financiers des entreprises, ont découragé l'achat de maisons et la consommation de biens durables au point de faire disparaître un grand nombre d'entreprises, ont déséquilibré les finances publiques et ont pour effet de réaliser un transfert de revenus très important entre débiteurs et créanciers. [...]

Il est clair que le gouvernement fédéral a mis l'accent depuis quelques années, et cela au détriment de l'emploi, sur les objectifs de lutte contre l'inflation, de compression des dépenses du secteur public et de maintien de l'équilibre de la balance des paiements. Or, par sa politique récente de hausse des taux d'intérêt à des niveaux records, c'est par milliers que le gouvernement fédéral fait disparaître des emplois. Ces conditions brisent radicalement toute tentative de stimulation de l'activité économique que peuvent entreprendre le gouvernement du Québec et ses partenaires économiques. [...]

Politique monétaire

La prolongation de cette politique monétaire restrictive entraîne non seulement la disparition d'entreprises dites « marginales », mais aussi celle d'un grand nombre d'entreprises dynamiques qui comptent sur un financement externe important ou qui doivent supporter des inventaires élevés. Il sera difficile de reconstituer ce capital, de relancer de telles entreprises qui disparaissent aujourd'hui au nom de politiques nationales qualifiées de « conjoncturelles ».

La reprise économique et le retour, au cours des prochaines années, à un taux de croissance plus élevé reposent sur un changement de la politique monétaire canadienne. Il faut recourir à une baisse des taux d'intérêt. Une telle baisse entraînera probablement à court terme une dépréciation du dollar canadien, mais la devise canadienne s'est tellement appréciée en 1981 par rapport à la plupart des autres devises, sauf le dollar américain, que cela permettrait de retrouver des marchés d'exportation que le Canada et le Québec ont perdus au cours de l'année dernière. En outre, la politique de soutien du dollar canadien ne fait que freiner le mouvement de baisse, mais sans l'arrêter. Une telle politique conduit à un cul-de-sac à plus long terme parce qu'elle réduit l'investissement, la productivité et la capacité concurrentielle de l'économie canadienne, ce qui entraîne inexorablement la baisse du dollar canadien et de nouveau des pressions sur les prix. C'est précisément dans ce cercle vicieux que le Canada s'est enfermé de plus en plus depuis 1975 jusqu'à l'escalade encore plus rapide des taux d'intérêt en 1981.

Sans une baisse prononcée et durable des taux d'intérêt, il sera non seulement impossible de revenir à un rythme de croissance satisfaisant, mais aussi très difficile d'assainir les finances publiques [...].

Lutte contre l'inflation

[...] La lutte contre l'inflation, par le maintien des taux d'intérêt à des niveaux très élevés, entraîne non seulement, comme nous venons de le voir, une récession prononcée et durable, mais s'avère jusqu'à maintenant totalement inefficace. Le taux d'inflation qu'a connu l'économie canadienne en 1981 est le plus élevé depuis 1948. Une baisse substantielle et durable des taux d'intérêt aurait probablement peu d'effet sur le taux de change si elle était conjuguée à une politique favorisant les gains de productivité, l'amélioration de la capacité concurrentielle des entreprises, le développement de technologies originales et les efforts de promotion des exportations. Autrement dit, il faut faire confiance aux capacités d'adaptation des économies canadienne et québécoise, faire preuve de plus d'imagination et appuyer résolument l'initiative des agents économiques.

Ces deux conditions – modification en profondeur de la politique monétaire et budgétaire du gouvernement fédéral et rééquilibre des finances publiques du Québec – sont nécessaires, mais non suffisantes, pour assurer l'expansion de l'économie du Québec. Ces conditions étant remplies, la bonne performance de l'économie québécoise reposera toujours sur le dynamisme du secteur privé. Un minimum de cinquante-cinq mille emplois devront être créés annuellement au Québec au cours des quatre prochaines années pour simplement garder le taux de chômage autour de 10 %.

L'atteinte d'un tel objectif repose largement sur la maturité industrielle démontrée par les chefs d'entreprises. Les possibilités de succès dépendent aussi de l'effort consenti à la recherche et à l'innovation, à la mise en marché et à la spécialisation de l'économie dans des créneaux qui répondent à des avantages comparatifs. [...]

Une nécessaire concertation

[...] Mais rien ne sert d'élaborer de grandes stratégies et des plans d'action s'il n'existe un minimum de consensus et de coordination des agents économiques sur la perception des enjeux en cause et sur la nécessité de concourir à la réalisation d'objectifs communs. La situation économique difficile que tous les pays occidentaux traversent depuis quelques années, la révolution industrielle qu'amènera sous peu l'arrivée des nouvelles technologies et la libéralisation du commerce international sont autant de facteurs qui nécessiteront dans l'avenir une meilleure cohésion de l'action des agents économiques.

Les expériences de concertation sont encore très jeunes au Québec mais elles ont déjà donné, au dire même de tous les intervenants, des résultats remarquables. Il est capital dans l'intérêt des syndicats, du patronat, des consommateurs et des différents paliers de gouvernement que ce dialogue se poursuive.

Battre le chômage

Préface de l'essai d'Yvon Leclerc, Battre le chômage, *Québec*, Éditions du Septentrion, *1994.*

Si le travail est un droit, l'emploi est une nécessité. Dans la plupart des pays du monde, il s'agit là d'une règle fondamentale reconnue et acceptée par tous. Que les États occidentaux aient tissé un filet de sécurité destiné aux sans-emploi témoigne de leur grande compassion à l'égard des plus démunis. Que ces mêmes États se retrouvent aujourd'hui aux prises avec les conséquences imprévues de ce système ne disqualifie en aucune façon le régime d'économie de marché. Non plus d'ailleurs que celui de la sécurité sociale. Ils doivent toutefois réviser leurs politiques sociales et économiques afin de favoriser le retour au travail des sans-emploi et de créer les conditions qui permettront à toute personne qui le peut de créer ou d'occuper un emploi.

Pour la plupart des gens de ma génération, la dégradation de la situation de l'emploi paraît à la fois inexplicable et démoralisante.

Inexplicable, pour nous qui avons connu l'effervescence des années soixante jusqu'à la crise du pétrole de 1973. Ces années coïncidaient avec le dernier tiers – peut-être le plus emballant – de cette période qu'il est convenu d'appeler les « trente glorieuses », c'est-à-dire de 1945 à 1973. C'était une époque bénie, faut-il le rappeler, où régnait pratiquement le plein emploi.

Démoralisante aussi, car la perspective de léguer à nos enfants et petits-enfants une société où la vie offre si peu d'espoir nous interpelle brutalement et cruellement. Comme pour nous reprocher de n'avoir pas su organiser équitablement la vie économique : tout pour nous et rien pour eux. Comme s'ils devaient nous reprocher d'avoir profité des générosités de l'économie.

En fait, les reproches les plus lourds qu'on pourrait nous adresser concernent le mode de production que nous avons contribué à instaurer et qui donne une place si large à la machine au détriment de la personne. Mais jusqu'à quel point en sommes-nous responsables ?

Le Rapport des Nations unies sur le développement humain, édition 1993, analyse ce phénomène de la production sans cesse croissante des biens et services par rapport à l'absence de création d'emplois. Ses auteurs dégagent quatre causes principales expliquant l'écart qui s'installe entre ces deux tendances.

Tout d'abord, le développement de la technologie s'est imposé comme un fait de la nature : la situation démographique des pays industrialisés n'offrait pas suffisamment de main-d'œuvre, durant les années soixante surtout, pour satisfaire à la demande du marché du travail.

La deuxième cause constitue pratiquement un corollaire de la première : la main-d'œuvre étant insuffisante, ses coûts ont augmenté. Une situation qui n'est pas étrangère d'ailleurs à l'action syndicale de cette époque. Et l'augmentation des coûts de la main-d'œuvre a eu pour conséquence logique de favoriser le développement technologique.

Troisième cause : cette innovation technologique a été en grande partie associée à la recherche et au développement pratiqués par le complexe militaro-industriel, lui-même alimenté par la guerre froide et la course à l'espace. Ce choix de société exigeait d'immenses investissements et une main-d'œuvre peu abondante et très spécialisée.

Enfin, la dernière cause doit être lue comme une constatation. La technologie avancée reflète les modèles existants de la distribution du revenu : 20 % de la population mondiale possède 83 % des revenus du monde entier, ce qui confère aux privilégiés cinq fois le pouvoir d'achat des 80 % de l'humanité la plus pauvre. De ce fait, la technologie utilisée par les membres les plus riches de la communauté internationale accentue ainsi les écarts entre les pays riches et les pays pauvres.

En somme, la technologie ne fait pas que des heureux. Tant s'en faut. Il n'en reste pas moins que, pour un pays qui se targue de compter parmi les coins les plus développés du globe, la situation du sous-emploi que nous connaissons devient gênante. Gênante en raison d'un capital humain évalué à 25 % de la main-d'œuvre active qui grogne, s'impatiente et qui, à la longue, voit s'envoler ses chances de décrocher un emploi. Bien sûr, certains optimistes incorrigibles peuvent toujours prétendre que 75 % de la population active travaille et parvient à maintenir et même à augmenter la production nationale. Ce qu'ils ne mesurent pas, cependant, c'est le poids important que représente pour l'État le coût de la sécurité du revenu des personnes sans emploi. De même que les limites imposées par le filet de sécurité à la capacité des finances publiques d'appuyer des initiatives créatrices d'emplois.

Mais ce n'est là que la pointe de l'iceberg. Car, bien au-delà des coûts qu'engendre le chômage, c'est la tragédie humaine qu'il recouvre qui est révoltante. Et il y a matière à combat quand on sait que le chômage va jusqu'à mettre en péril ce désir fondamental, enfoui au plus profond de tout être humain, qui consiste à donner la vie. Sans compter tous les fruits amers et les maux sociaux que l'inactivité draine dans son sillage et que les rapports de l'ex-Conseil des affaires sociales ont su documenter.

Or, si l'on tient pour acquis que la technologie est là pour rester et que la production se fera de plus en plus au moyen de machines sophistiquées nécessitant peu de main-d'œuvre, le problème du chômage revient donc hanter la société politique. Il paraît désormais bien difficile à l'économie de marché de répondre seule au problème du sous-emploi comme à l'époque des « trente glorieuses ». Preuve en est que, même durant le cycle économique à la hausse que nous avons connu durant les années quatre-vingt, le chômage a continué d'étendre ses ravages dans tous les secteurs.

Autre évidence : la société politique ne peut plus se contenter de payer la note du sous-emploi sans intervenir énergiquement pour endiguer le fléau. Le temps est venu, comme dirait Balzac, de *tailler des croupières* aux idéologies qui prétendent que l'État doit se retirer de la conduite de l'économie et laisser agir les seules forces du marché. Adam Smith n'est plus et ne sera jamais plus. L'intérêt public et le bonheur de chacun commandent une action vigoureuse et immédiate de l'État afin que soit redressée la situation.

Deux directions à prendre

Cette action me paraît devoir emprunter deux directions : l'action communautaire et le commerce extérieur. En apparence opposées, ces deux directions constituent deux volets d'une même politique d'emploi.

L'action communautaire découle de la conviction selon laquelle le grand nombre de personnes qui s'installent dans une économie parallèle n'en sortiront que si elles sont convaincues de trouver mieux ailleurs. Lassées par les difficultés qu'elles rencontrent dans la recherche d'un emploi et découragées par la lecture qu'elles font des nouvelles exigences du marché du travail, ces personnes ont tourné le dos à l'économie de marché et sont parvenues à trouver une façon de tirer leur épingle du jeu en misant sur les différents programmes du filet de la sécurité sociale.

Il faudra donc partir de là et leur offrir des voies de sortie à la fois respectueuses de leur dignité et compatibles avec l'économie de marché et les nouveaux besoins de notre société. [...]

L'autre direction qui se présente, le commerce extérieur, constitue à mes yeux le défi de l'excellence que doit se lancer notre société. Une récente étude du service de recherche de la Caisse de dépôt et placement du Québec nous enseigne que le Québec compte maintenant sur un important contingent d'entrepreneurs qui exportent leurs produits aux quatre coins du monde. La société politique doit favoriser par tous les moyens possibles l'ouverture des marchés mondiaux aux produits de ces entrepreneurs. Cette tâche sera d'autant plus facile à réaliser, est-il besoin d'insister, le jour où le Québec disposera de toutes les institutions et de tous les outils qui lui échappent encore.

Le commerce extérieur, on ne le répétera jamais assez, projette une image d'excellence. Le commerce extérieur s'appuie sur le génie inventif d'un peuple, se nourrit de son opiniâtreté, se développe grâce aux outils qui le favorisent et devient même, à l'échelle des autres peuples, un trait distinctif. Les produits de nos entreprises exportatrices prennent la route des marchés extérieurs parce que ceux-ci n'offrent pas l'équivalent à leurs clients. Dans la balance des paiements, il s'agit de gains nets qui ne peuvent manquer de se traduire par des emplois. Et, généralement, des emplois de qualité qui offrent des débouchés à nos jeunes diplômés.

Le commerce extérieur, c'est aussi le niveau de dynamisme rêvé par tout pays qui souhaite protéger son marché intérieur. *Si vis pacem, para bellum* s'applique aussi à l'activité commerciale, et certains pays comme le Japon ou l'Allemagne l'ont bien démontré. Cette attitude vaut pour les grands comme pour les petits pays. Lorsqu'une économie fabrique des biens et des services dignes de gagner les marchés étrangers, c'est généralement parce qu'elle a déjà pu satisfaire son propre marché. Se qualifier pour l'exportation devient donc un moyen de rendre son marché intérieur moins vulnérable aux biens et services produits à l'étranger. C'est une excellente façon également de créer ou de conserver chez soi les emplois qui accompagnent la production de ces biens et services!

Haut la barre

Ces deux directions à prendre exigent que nous placions bien haut la barre avant de sauter. Indiscutablement, il m'apparaît que la seule façon que nous ayons de sauter à l'aise consiste à accorder la priorité absolue à la formation. L'excellence n'a aucun lien de parenté avec le laxisme et l'abandon. Elle repose sur la capacité de chaque personne qui vit dans ce pays d'aller au bout d'elle-même. Elle ne supporte aucun compromis et condamne la médiocrité entretenue.

Remettre la société au travail signifie donc permettre absolument à chaque personne de tirer le meilleur parti d'elle-même et d'en verser le résultat à l'édification de la société. Et pour y parvenir, il est essentiel que chacun et chacune puisse librement aller au bout de son talent par la formation appropriée.

En somme, la formation constitue le meilleur rempart contre la détérioration de la vie économique, sociale et culturelle que connaît notre société depuis une dizaine d'années. Pour une frange toujours trop importante de la population, quitter le cercle vicieux de l'appauvrissement passe par le couloir obligé de la formation. C'est la seule façon également d'éviter le darwinisme implacable que laisse planer un certain néolibéralisme par trop entreprenant. On a longtemps cru que la formation était une condition de développement culturel ou social. On sait aujourd'hui qu'elle est beaucoup plus : sans formation, pas de développement économique possible.

En ce sens, la formation des personnes doit reprendre le rôle de premier plan qu'elle aurait toujours dû jouer dans notre société. Ce rôle rejoint les valeurs élevées de démocratisation, d'égalité des chances et de promotion humaine et culturelle que notre société a toujours visées.

Nous devons aujourd'hui lui ajouter la nécessité, imposée par la concurrence, de nous surpasser sans cesse, pour accéder au peloton de tête des pays industrialisés et pour nous y maintenir. La recherche-développement, le design, l'ingéniosité des procédés de transformation et combien d'autres fonctions économiques fondamentales dérivent toutes de la formation.

Que le Québec soit parvenu au résultat évoqué par l'étude de la Caisse de dépôt et placement et à faire connaître son nom aux quatre coins du monde malgré la tragique détérioration de notre système d'éducation rend compte de tout le potentiel dont nous disposons pour aller plus loin. Bien qu'on ne puisse leur imputer toute la responsabilité de cette dégringolade décriée par tous, les institutions du réseau d'éducation devront participer pleinement au redressement qui s'impose.

Cette tâche immense et vitale ne pourra se réaliser que dans le cadre d'une vaste mobilisation de l'ensemble de la société. Dans ce domaine comme dans beaucoup d'autres, elle exigera la récupération de grands pans de programmes aujourd'hui administrés par le gouvernement canadien. [...]

Le Québec a atteint un niveau de développement qui se compare avantageusement à celui de la plupart des pays de l'Organisation de coopération et de développement économiques (OCDE). Dans les faits cependant, ce niveau de développement ne concerne qu'une partie de la population : le Québec est encore divisé en deux. On sait maintenant que ce niveau de vie, de même que la solidarité et la paix sociales sont grandement menacés par la montée du chômage chronique. Attendre ne fera qu'aggraver la situation. Nous devons passer à l'action. Et au pas de charge.

Le défi entrepreneurial québécois du XXIᵉ siècle

Préface de l'essai de Pierre-André Julien,
L'entrepreneuriat au Québec. Pour une révolution
tranquille entrepreneuriale (1980-2005), *Montréal
et Québec, Les Éditions Transcontinental inc.
et Les Éditions de la Fondation de
l'entrepreneurship, 2000.*

[...] Le Québec change, et son entrepreneuriat change aussi. Notre société a poursuivi son développement accéléré depuis la Révolution tranquille. Elle a vécu des transformations sans précédent et l'une des plus marquantes est bien celle de la révolution entrepreneuriale. Le nombre d'entreprises a crû de manière spectaculaire et les perspectives d'affaires n'ont plus de limite à l'heure de la mondialisation. Le monde du travail a été bouleversé et la montée du travail autonome n'en est qu'un exemple. L'entrepreneuriat s'est également diversifié avec l'arrivée des femmes, des immigrants et des Autochtones dans le milieu des affaires et les nouveaux secteurs d'activité qui ont émergé.

À l'ère de la mondialisation, des fusions et des grands conglomérats, s'intéresser au sort des PME peut paraître dépassé et peu de son temps. Il n'y a rien de plus faux. Les PME sont la première source de création d'emplois et de la richesse. De tout temps, les petites entreprises ont fouetté et guetté les plus grandes, les forçant à se dépasser. Comme le mentionne l'auteur, s'inspirant des études internationales,

les PME augmentent plus rapidement leur part de l'emploi et leur part de la production nationale que peuvent le faire les grandes entreprises. Le Québec peut être fier de ses PME. Notre peuple, dans ce domaine, fait preuve d'un dynamisme spécifique par rapport à ses partenaires commerciaux principaux. Comme le souligne Pierre-André Julien, « on a créé au Québec entre 1986 et 1996 près de deux fois et demie plus de nouvelles entreprises qu'aux États-Unis et une fois et demie plus qu'en France ».

Innover : la seule voie

Cette création de PME et d'emplois ne s'effectue pas uniquement dans les secteurs traditionnels, elle se fait en forte proportion dans des secteurs d'avenir et dans des industries à forte valeur ajoutée, ce que l'on appelle couramment la nouvelle économie ou l'économie du savoir. La grande région de Montréal assume à ce titre son rôle de leader comme métropole du Québec dans les domaines de la biotechnologie ou des communications en général, pour ne nommer que ceux-là. Selon des études récentes, rapportées par l'auteur, « Montréal aurait ainsi la plus grande concentration d'emplois en haute technologie en Amérique du Nord ». Mais il reste encore beaucoup à faire pour que l'ensemble du Québec profite des opportunités que ce virage nous offre et de l'expertise privilégiée que détient déjà une partie de l'économie québécoise.

Son histoire, sa langue, sa culture distincte et sa situation géopolitique font que le Québec est reconnu à travers le monde comme étant un peuple innovateur, ayant un fort esprit d'initiative et qui compte en son sein des entrepreneurs particulièrement ingénieux. Comme le souligne Pierre-André Julien, les domaines de la haute couture et du design, à Québec comme à Montréal, sont des preuves concrètes de notre position enviable sur les marchés internationaux. Mais l'innovation est loin d'être exclusive aux régions de la capitale nationale et de la métropole. Les régions du Québec foisonnent d'initiatives originales et de projets porteurs. La Beauce et le Saguenay en sont des exemples parmi d'autres et le Québec regorge d'exemples d'entreprises à succès.

Un nouveau rôle pour l'État

Le rôle de l'État s'est également transformé pendant les années quatre-vingt et quatre-vingt-dix. D'un État entrepreneur, il est devenu un État partenaire. Il a développé, adapté et créé de nouveaux outils pour favoriser et soutenir les initiatives des entreprises. Aujourd'hui, il reconnaît que c'est l'entreprise privée qui est la mieux placée pour assurer la création d'emplois. Mais cela ne veut pas dire que l'État doit être absent, bien au contraire. Il demeure le garant d'une économie compétitive, humaine, solidaire et durable.

Le gouvernement poursuit ses efforts afin que le Québec soit l'endroit le plus avantageux pour faire des affaires. Récemment, une étude de la firme KPMG démontrait que dans plus d'une douzaine de secteurs de pointe, c'est au Québec que les coûts d'implantation et d'exploitation pour les entreprises sont les plus concurrentiels en Amérique du Nord et en Europe. De plus, comme le mentionne Pierre-André Julien, c'est également au Québec que l'on retrouve l'un des plus faibles taux d'imposition des entreprises au Canada.

Le Québec, comme les autres sociétés industrialisées, est passé par différents stades de soutien à ses entreprises. Comme le démontre bien l'auteur, le gouvernement, après avoir étendu aux PME les programmes d'aide aux grandes entreprises, a développé des programmes spécifiques et des approches plus ciblées sur leurs besoins. Aujourd'hui, il est à parfaire des programmes plus généraux et intégrés orientés sur l'exportation, la modernisation et l'innovation. Bien sûr, l'analyse des demandes pour ces différents programmes peut parfois paraître longue. Mais, pour assurer la transparence et l'objectivité de la distribution des fonds publics (mission toujours fondamentale du gouvernement), certaines précautions doivent être prises pour éviter, entre autres, de soutenir inutilement des entreprises qui n'ont pas à faire l'objet d'aide gouvernementale. Il s'agit d'une question d'équité pour tous.

Miser sur nos régions

Depuis toujours, l'étalement de la population et des matières premières sur la grande étendue du territoire québécois fait en sorte que les coûts de transport sont un obstacle important à la compétitivité de notre économie. Toutefois, le développement de la nouvelle économie peut changer cette donnée. En effet, dans l'économie du savoir, la distance devient une dimension de moins en moins pertinente, ce qui avantage le Québec. De même, le développement des nouvelles technologies de l'information augmente les capacités d'échanges et favorise ainsi les possibilités d'affaires.

Cap sur l'exportation

La mondialisation des marchés est incontestablement une opportunité à saisir pour le Québec. Elle a eu parfois des conséquences négatives à court terme sur certaines entreprises, entraînant à l'occasion de tristes fermetures avec les conséquences régionales que l'on connaît. Mais l'ouverture des frontières force les entreprises à s'améliorer et c'est parce que nous avons eu confiance dans les entreprises d'ici que le Québec a été un leader dans les négociations qui ont mené à l'ALENA. Les Québécois sont ouverts sur le monde. À eux seuls, ils voyagent plus que tous les Canadiens. Plusieurs secteurs d'avenir comme l'agroalimentaire, la biotechnologie, le multimédia et le tourisme confirment que nous avons eu raison de miser sur le potentiel des entrepreneurs de chez nous. J'en veux pour preuve la forte augmentation des exportations vers le Sud alors que les échanges d'est en ouest continuent de se maintenir.

L'ouverture des frontières ne veut pas dire inaction gouvernementale. Le gouvernement est un levier sans pareil en raison de sa taille et de sa capacité d'intervention pour les petites, moyennes et grandes entreprises. Il sert d'accélérateur au changement et à la croissance en accompagnant les plus innovatrices et les plus prometteuses afin de créer des emplois et de la richesse, tout en conservant sa mission de solidarité, et de veiller à un meilleur partage de celle-ci au sein de la population.

Pour que les entreprises soient concurrentielles à l'échelle internationale et dans le nouveau contexte de l'économie du savoir, l'investissement dans la recherche et le développement est une priorité. À cet égard, le Québec se positionne de manière avantageuse, encore une fois. Il dépense plus que l'Ontario et le Canada, toutes proportions gardées, plus que le Royaume-Uni, la France et l'Allemagne. Comme il est rapporté dans cet ouvrage, les investissements ne cessent d'augmenter et s'accélèrent. En renforçant les partenariats entre les entreprises et les universités, il est possible de faire encore mieux. À ce titre, les activités de la Chaire Bombardier, dont Pierre-André Julien est le titulaire, en sont un bel exemple.

Un potentiel à développer

Le Québec a tout le potentiel qu'il faut pour réussir à prendre la place qui lui revient dans le nouveau siècle qui s'amorce. Si les années quatre-vingt-dix ont laissé voir un certain ralentissement et que le gouvernement doit faire des choix difficiles mais nécessaires dans plusieurs secteurs d'activité, tous les espoirs sont permis. Comme l'affirme Pierre-André Julien, le Québec a été fort durant les années quatre-vingt et il a été plus dynamique que la plupart des pays industrialisés dans les trente dernières années. Le modèle québécois, souvent critiqué par les adeptes d'un capitalisme de type néolibéral, a su s'adapter, et ses institutions économiques, qui pour plusieurs ont vu le jour lors de la Révolution tranquille, ont su évoluer et anticiper les grands changements. Il est possible de faire les choses autrement en respectant les valeurs profondes des Québécoises et des Québécois. La tradition de concertation entre les forces vives du Québec, débutée en 1976 avec René Lévesque et les sommets socioéconomiques, caractérise notre modèle qui cherche à dire « oui » à l'économie de marché tout en disant « non » à la société de marché, livrée aux seules forces du marché.

Unique en Amérique du Nord, le modèle québécois constitue une richesse que les Québécoises et Québécois ont choisi de maintenir et de moderniser. Les résultats déjà acquis sont encourageants: le Québec compte parmi les dix premières nations en aérospatiale, en multimédia, en technologies de l'information et en ingénierie. C'est un véritable carrefour international de l'innovation et de l'économie du savoir, la quinzième puissance économique mondiale, plus importante pour le commerce des États-Unis que l'Allemagne, l'Italie, la France ou la Russie. Notre société est l'une des plus exportatrices au monde. Le Québec détient des instruments originaux de développement adaptés aux exigences de leur temps, comme la Caisse de dépôt et placement, Hydro-Québec, la SGF, Investissement Québec, les Fonds régionaux de capital de risque, les CDTI et les CNE.

Néanmoins, pour faire encore mieux et répondre aux priorités et intérêts des gens d'ici, le Québec, sans plus tarder, doit acquérir une plus grande maîtrise de l'ensemble de ses outils de développement afin de réaliser pleinement son destin économique prometteur.

Quelle politique tue l'économie ?

L'Action nationale, *octobre* 1998.

On soutient dans certains milieux fédéralistes que la politique tue l'économie du Québec. Tout en reconnaissant les efforts de notre gouvernement, ils reprochent aussi aux souverainistes en général et au soussigné en particulier un excès d'optimisme quant à notre situation économique véritable.

Il est vrai que je crois profondément aux forces de l'économie du Québec et à son fabuleux potentiel. Je le dis souvent et le redis, chiffres à l'appui : c'est mon devoir. Surtout lorsque tant d'autres s'emploient à tout assombrir dans un but qui n'est pas forcément relié à l'information économique.

Par ailleurs, c'est avec la même application dans tous mes discours, y compris les solennels discours du budget, que j'identifie sans détour les maux qui nous affligent : le Québec est la plus endettée des provinces canadiennes, la plus taxée aussi et son taux de chômage est déshonorant surtout en regard de ses possibilités. C'est ce que j'ai appelé mille fois le paradoxe québécois que je cherche à conjurer avec toute mon énergie, sans essayer le moindrement de le nier ou de le minimiser.

Quant aux causes de cette situation chronique et frustrante, plusieurs fédéralistes les attribuent à la politique ; je dis largement la même chose qu'eux tout en croyant qu'ils exagèrent, d'une part, et qu'ils situent surtout le problème au mauvais endroit, d'autre part.

Lorsqu'un phénomène dure depuis plus d'un demi-siècle, il ne peut être, par définition, autre que structurel, très souvent politique et notamment institutionnel. C'est typiquement le cas du Québec comparé à l'Ontario. L'évolution de longue durée des taux de croissance et de chômage du Québec et de la province voisine présente des écarts constants et de même sens qui établissent, hors de tout doute, que les structures sont en cause et non la conjoncture économique, ni les événements liés à notre vie démocratique et à notre droit de choisir librement notre avenir.

Depuis 1946, le différentiel de taux de chômage entre le Québec et l'Ontario a toujours été défavorable au Québec avec un sommet en 1988, sous Robert Bourassa, huit ans après le premier référendum et sept ans avant le deuxième. Depuis 1946, il y a eu au Québec douze premiers ministres de trois partis différents, tous fédéralistes, sauf quatre. Si l'hypothèse du politique que je partage est vraie, il faut accepter qu'elle s'applique de façon constante depuis cinquante ans, sans égard aux partis et à leurs options constitutionnelles.

C'est en raison de cette permanence du problème que je lui attribue inlassablement des causes lourdes et de long terme. On connaît bien la fameuse trilogie que je cite souvent: Pacte de l'automobile, ligne Borden et canalisation du Saint-Laurent. Si je les cite régulièrement, c'est qu'elles sont majeures et vraies toutes les trois; mais j'en énumère aussi régulièrement beaucoup d'autres tout aussi désastreuses.

D'abord, la critique constante et documentée de Robert Bourassa dénonçant, pendant plus de vingt ans, les effets pervers pour le Québec de la politique monétaire de la Banque du Canada: pour contrer une surchauffe ontarienne, on congèle régulièrement le Québec. Puis, celle plus récente de Pierre Fortin, qui démontre de façon implacable que les politiques des taux d'intérêt de la même banque centrale nous ont fait perdre un nombre incalculable d'emplois. Sans oublier la sempiternelle tétralogie des dépenses fédérales au Québec qui sont toujours en deçà de notre pourcentage de population: achats de biens et services, dépenses de recherche et de développement, subventions aux entreprises, et nombre de fonctionnaires venant du Québec dans l'appareil fédéral. Pour ne rien dire d'autres manœuvres fédérales qui ont abouti à nous faire perdre une partie de l'aéronautique et de la pharmacie, deux de nos suprématies historiques, pour les partager avec d'autres régions du Canada alors que, pour l'automobile ontarienne, on ne partage que les miettes.

Ce n'est pas parce que des causes sont vieilles ou durables qu'elles sont moins vraies et moins néfastes. Tout ce qui est mentionné plus haut a coûté au Québec, sur base cumulative, des millions d'emplois depuis la Deuxième Guerre mondiale seulement. Les fédéralistes ont raison : dans tous et chacun de ces dossiers, il y a du politique et beaucoup, mais toujours fédéral.

Je mentionne aussi une autre politique canadienne qui fut particulièrement perverse pour le Québec, une vieille de la vieille, mais cataclysmique : le protectionnisme, qui nous a coupés de nos liens Nord-Sud si conformes au bon sens et à la géographie. La National Policy nous a coûté des millions d'emplois sans compter l'exode d'une portion monstrueuse de notre population. Laurier, le Québécois, a voulu changer cela en 1911 : il fut défait. Pour ouvrir la frontière en 1945, King n'avait qu'à signer, Washington était prêt de même que l'opinion canadienne et les syndicats : il s'en est tenu à la petite Amérique britannique du Nord. Il a fallu attendre le Pacte de l'automobile pour avoir une certaine ouverture qui avantage presque uniquement l'Ontario.

Ce n'est qu'avec Brian Mulroney, en 1989, et l'Accord de libre-échange, réalisé principalement grâce à l'appui massif du Québec, que nous avons vu enfin nos ventes monter en flèche aux États-Unis. Ce long manque d'ouverture du Canada nous a coûté un prix astronomique. Toujours la politique... et toujours fédérale. Mentionnons pour mémoire que Jean Chrétien a combattu cette entente bec et ongles et qu'il voulait déchirer le traité qui nous sert si bien maintenant.

Et je n'ai rien dit du grand piège d'engrenage des programmes à frais partagés, moitié-moitié au début, et tombant peu à peu vers un pourcentage dérisoire de contribution fédérale tout en nous laissant des responsabilités écrasantes qui nous endettent et alourdissent notre fiscalité. Tout cela couronné par le déficit zéro d'Ottawa, obtenu avec sa fausse caisse de l'assurance-chômage et sa réforme qui a repoussé vers nous un fardeau social de 700 millions de dollars. Qui va prétendre que les 11 milliards de compressions fédérales autoritaires en quatre ans aux chapitres de la santé, de l'éducation et des transferts sociaux ainsi que leur contrecoup sur le budget du Québec étaient de nature à stimuler l'économie ? Sans compter évidemment une somme considérable de souffrances sociales. La politique et encore la politique... fédérale.

Et malgré toute cette politique, je me permets encore l'optimisme qu'on me reproche et qui est solidement assis sur une bonne série de chiffres très encourageants. D'abord, pour la première fois en vingt ans, le Québec a équilibré son compte d'exploitation et ne paie plus les salaires avec de l'argent emprunté. Ça aussi, c'est de la politique : québécoise, cette fois. Le taux de chômage, toujours trop haut, est un des plus bas en dix ans. Tous les indicateurs économiques sont cependant à la hausse. Des économistes de diverses tendances parlent enfin de combler l'écart historique de croissance avec le Canada pour l'an 2000. Les investissements étrangers surtout sont à des niveaux records et, selon Statistique Canada, 1998 représentera la meilleure année de la décennie pour la croissance de l'ensemble des investissements. Dans le dernier mandat libéral, ce n'est pas le déficit qui était à zéro, mais la création nette d'emplois. Vous avez bien lu : zéro de 1990 à 1994, pendant que le Canada en créait 206 000. Nous sommes à 137 200 en quatre ans.

La structure de l'économie du Québec est plus impressionnante encore dans sa révolution profonde. Nous sommes toujours des gens de pâtes et papier, d'aluminium, de bois d'œuvre et de concentrés minéraux. Des agriculteurs aussi avec notre première balance agricole excédentaire de l'histoire cette année. Ce n'est pas et ce ne sera jamais un malheur bien entendu. Mais le grand bonheur, c'est que notre principal poste d'exportation, aujourd'hui, c'est le matériel de télécommunication. C'est aussi que le Québec, à lui seul, est la sixième puissance aérospatiale du monde, ce qui, avec 7,5 millions d'habitants, est proprement invraisemblable. Seuls nous dépassent en cette matière les États-Unis, la France, la Grande-Bretagne, l'Allemagne et le Japon, tous plusieurs fois plus gros que nous et dont les industries ne sont même pas aussi intégrées et équilibrées que la nôtre.

Le bonheur, c'est aussi que Montréal et sa région ont le plus haut pourcentage d'emplois de haute technologie de notre continent et en rapide croissance. La même ville, que *The Gazette* et d'autres dépeignent comme dévastée, est aussi la première au Canada pour la biotechnologie avec ses 11 000 emplois, et la dixième d'Amérique. Elle est en très bonne place pour les technologies de l'information avec ses 100 000 emplois et son chiffre d'affaires de 10 milliards de dollars. Elle est deuxième, après la Californie, pour l'explosion du multimédia. On retrouve au Québec la moitié du capital de risque du Canada.

Faire ressortir nos succès et nos forces, chiffres à l'appui et sans cacher nos faiblesses, est au cœur de mes responsabilités de politique et de militant et j'ai le ferme propos de continuer à le faire.

Je reproche par ailleurs aux fédéralistes de taire que les politiques dont ils disent qu'elles tuent sont bien plus celles qu'ils défendent comme provincialistes que celles que j'applique comme gouvernant et préconise comme souverainiste. Il me semble clair que l'État-nation du Québec souverain, cultivant les quatre libertés de circulation et permettant à notre patrie d'être aux tables décisionnelles supranationales de la mondialisation, plutôt que de la subir provincialement, offre de bien meilleures chances de vaincre cette pseudo-fatalité que nous abhorrons et dénonçons. Politiques pour politiques, il me semble évident que les nôtres sont plus dynamiques et nos projets plus porteurs d'avenir que le coûteux *statu quo* de dépendance qui a, depuis longtemps et clairement, prouvé qu'il entrave nos capacités et nos espérances.

Le rôle de l'État québécois dans le développement économique : d'hier à aujourd'hui

Allocution prononcée à l'occasion du colloque de l'UQAM sur « La Révolution tranquille : 40 ans plus tard », mars 2000.

Témoin privilégié

Il est anachronique de dire que les baby-boomers ont fait la Révolution tranquille. Né en 1937, je ne suis moi-même un révolutionnaire tranquille que de justesse. Arrivé à l'Université de Montréal en 1959, j'ai été, en 1962-1963, président de l'Association étudiante, un ardent foyer « révolutionnaire » de l'époque. J'ai également organisé une des premières et des plus grandes manifestations de l'histoire du Québec contre le président des Chemins de fer nationaux qui avait soutenu, devant une commission parlementaire à Ottawa, qu'il n'y avait pas de francophone parmi les vingt-sept présidents de l'entreprise, parce qu'aucun d'entre eux n'avait la compétence requise. Par la suite, au printemps de 1960, j'ai parcouru les campagnes du Québec pour aider à faire élire des candidats libéraux dans cette grande bataille électorale qui allait donner le signal de départ de la Révolution tranquille. J'avais vingt-trois ans et je n'ai évidemment pas joué un rôle majeur mais plutôt un rôle de soutien qui me permet aujourd'hui d'être un bon témoin.

Notre révolution

Dans les universités et chez une certaine partie de la population, il régnait à cette époque une atmosphère véritablement révolutionnaire. Celle-ci avait été préparée de longue date et ses origines remontent à de longs combats menés au cours des années 1950-1960. Georges-Émile Lapalme et les gens de la Fédération libérale du Québec ont été les principaux porteurs politiques de cet élan. Notre peuple est peu enclin aux révolutions, il a d'ailleurs raté les deux plus importantes des derniers siècles. D'abord la Révolution française, car nous n'étions déjà plus français, puis la Révolution américaine, puisque bien qu'américains et aussi colonie de l'Europe, nous avons décidé de rester fidèles à la Couronne britannique. Nous avons tenté de nous rattraper en 1837-1838, ce qui fut notre première vraie tentative révolutionnaire. Malgré ses résultats militaires assez lamentables, la rébellion a toutefois été porteuse de beaucoup de progrès. Les idées du Siècle des lumières, de Thomas Jefferson et de John Quincy Adams étaient également celles des Patriotes. Si les résultats immédiats sont restés minces quoique non négligeables, les idées essentielles ont quand même circulé par la suite et ont donné naissance aux « Rouges » et, en gros, à ces libéraux qui allaient porter la Révolution tranquille.

Faire naître un État

Essentiellement, les objectifs et les idées des artisans de la Révolution tranquille étaient de faire naître un État en espérant lui voir jouer un rôle collectif fondamental. Il ne s'agissait pas à la base d'un mouvement vraiment populaire. Le projet était théorique et ambigu pour plusieurs. Le slogan des libéraux de 1960, « C'est le temps que ça change », pouvait faire référence, pour les intellectuels, au Siècle des lumières, alors que, pour Azélus Brouillette, garagiste à Saint-Jacques-de-Montcalm, il était question de tout autre chose. Pour ce dernier, un « bon Rouge », il était temps que les camions de la voirie aillent faire le plein à son garage plutôt que chez Adonias Lorrain, son concurrent d'en face ! C'était pour un grand nombre la réalité prosaïque des campagnes électorales de la région de Joliette et du reste du Québec à l'aube de la fameuse révolution. La politique québécoise s'abreuvait depuis longtemps et largement de patronage, de travaux de drainage, de machinerie lourde et de permis d'alcool et ne logeait que rarement dans les hautes sphères intellectuelles.

Il y avait bien sûr, un peu partout au Québec, beaucoup de gens poussés par un solide idéal politique et de société. Cependant, c'est davantage lorsque les intellectuels eurent amorcé la Révolution tranquille et fait naître cet État, dont ils prirent largement le contrôle, que la population s'est mise à adhérer plus sérieusement au mouvement déjà enclenché et à en récolter les bénéfices sociaux notamment. On a littéralement créé un État moderne et, en même temps, une réelle démocratie pour mettre fin notamment au colonialisme qui caractérisait l'économie et l'ensemble de notre société.

Les fruits de notre révolution

La Révolution tranquille a eu, bien entendu, des effets sociaux, politiques et démocratiques majeurs. Pour tous les partis politiques, la vie démocratique du Québec fut radicalement transformée en 1960, pour devenir ce qu'elle est aujourd'hui, c'est-à-dire exemplaire. Cette œuvre d'assainissement de la démocratie a été commencée par Georges-Émile Lapalme et par Jean Lesage et fut complétée par René Lévesque qui acheva l'épuration des mœurs politiques en éliminant pratiquement le pouvoir de l'argent occulte sur le personnel politique. La démocratie québécoise est aujourd'hui, sur le plan éthique, une des plus proches du monde de l'idéal démocratique. Elle est d'ailleurs de plus en plus imitée et copiée dans de nombreuses juridictions.

Sur le plan social, un des résultats les plus nets de la Révolution tranquille est d'avoir donné au mouvement ouvrier québécois, dont les acquis étaient déjà considérables, un pouvoir plus large et formel. Les syndicats ouvriers et leurs leaders sont devenus depuis, et le sont restés, des participants majeurs de notre vie collective. Cette situation est observable, notamment lors de la tenue des Sommets économiques et sociaux, et fonde une tradition originale de concertation qui est au cœur du modèle québécois.

Une progression économique extraordinaire

Par ailleurs, l'héritage le plus manifeste, je crois, de notre Révolution se situe sur le plan économique. Nécessaire, la Révolution tranquille a donné des résultats qui, de plus en plus, nous apparaîtront extraordinaires. Depuis plusieurs années, formellement sur papier, l'appareil d'action socio-économique québécois était déjà connu comme l'un des plus impressionnants du monde : un État moderne, possédant des instruments d'intervention exemplaires et une panoplie remarquable de possibilités d'agir, des syndicats ouvriers organisés, un des mouvements coopératifs les plus forts du monde ainsi que des groupements populaires, dynamiques et visionnaires. Malgré toute cette apparente excellence, un paradoxe persistait jusqu'à tout récemment : nous avions un taux de chômage de près de 15 %, quarante ans après la Révolution tranquille. Comment se faisait-il que, selon des statistiques qu'il faut maintenant relativiser, notre niveau de pauvreté était si élevé ? Comment se faisait-il qu'en apparence l'écart entre le Québec et l'Ontario était toujours le même ? Aujourd'hui, les vrais dividendes économiques de la Révolution tranquille se révèlent et procèdent largement de l'élément essentiel de cette révolution : l'éducation et la scolarisation massive.

Notre Québec de 1960 avait le niveau d'éducation du Portugal, lui-même lanterne rouge des pays occidentaux. Il était évident que, dans la société de l'après-guerre, les nations dans cette condition étaient promises à un destin mineur, autant sur le plan politique qu'économique. Aujourd'hui, on peut dire sans hésitation : mission accomplie. Il y a plus d'étudiants universitaires *per capita* dans la ville de Montréal qu'à Boston, capitale intellectuelle de l'Occident. Les jeunes Québécois entre 15 et 34 ans sont parmi les mieux instruits de notre continent et des pays de l'OCDE, non seulement en quantité, mais en qualité. Diverses enquêtes font ressortir des succès prodigieux en mathématiques, en sciences et dans d'autres domaines cruciaux pour l'économie d'aujourd'hui. L'économie du Québec, qui reposait sur nos richesses naturelles, est aujourd'hui, non pas simplement en voie de se transformer vers l'économie du savoir, mais elle est déjà l'une des économies contemporaines les plus avancées sur la voie de la valeur ajoutée découlant de l'intelligence. Si cela n'est pas un succès, je ne sais pas ce que c'est. Grâce à cette aventure révolutionnaire largement attribuable au travail visionnaire de Paul Gérin-Lajoie, qui a été un des personnages clés des cinquante dernières années au Québec, nous pouvons enfin tabler à fond sur l'intelligence, le savoir et la compétence pour créer la richesse.

Nous avons aussi liquidé, de belle manière, l'état de colonialisme qui marquait le Québec. Aujourd'hui, Quebecor est le premier imprimeur de la planète, Bombardier est le troisième avionneur, Cascades est le premier cartonnier d'Europe, un des premiers du monde, et Alcan est le deuxième alumineur.

On nous répétait que les Québécois n'avaient pas de talent pour les affaires et qu'il valait mieux qu'ils se confinent aux valeurs purement spirituelles. En fait, nous sommes devenus le contraire d'un peuple colonisé. Nous sommes un des petits peuples du monde qui contrôle le plus son destin économique et qui possède l'une des vingt premières économies du monde.

Dans les années soixante, nous rêvions de la Suède pour son formidable système social et pour sa puissance économique.

Nous pensions à Volvo, à SKW, au système de garderies et au système de santé public et universel. Jamais la Suède, ni autrefois ni aujourd'hui, n'a classé autant d'entreprises dans les premières de leurs catégories dans le monde que notre Québec le fait présentement. Cette bataille, là aussi, elle est aujourd'hui gagnée.

Créer la richesse et la solidarité

Nous avons aussi créé l'appareil social pour répartir la richesse, cet autre fruit de la Révolution tranquille. Mais cette richesse, pendant des décennies, n'était pas vraiment au rendez-vous. Nous devrions maintenant avoir des succès beaucoup plus considérables dans la poursuite de la justice sociale. Les « longs sanglots » sur l'exclusion ne mènent nulle part si nous n'avons pas les activités pour inclure ceux que l'on veut réintégrer. Il y a 10 ans, les taux de chômage étaient de 10 % à Montréal et de 5 % à Toronto, alors qu'aujourd'hui ils sont respectivement de 6 % et 5,5 %. Ce rattrapage fulgurant permet, à ceux qui luttent directement contre la pauvreté, d'espérer et d'avoir les moyens pour faire cette lutte. Les lieux d'épanouissement, que sont le travail industriel ou intellectuel, se multiplient, entre autres, dans le multimédia, dans la pharmacie, l'aérospatiale et les télécommunications et peuvent ainsi convier massivement les gens à l'inclusion, les jeunes en particulier. Ceux et celles qui, pour une raison ou une autre liée souvent à l'âge et à l'éducation, ne pourront pas s'inscrire directement dans ces activités profiteront quand même des fruits de la richesse par le biais des retombées indirectes et de notre généreux système de transferts sociaux.

Il est vrai que notre fiscalité est l'une des plus lourdes d'Amérique du Nord. Cependant, nous avons aussi la fiscalité la plus sociale de notre continent. Nous ne pouvons avoir tous les défauts et tous les torts en même temps. La fiscalité québécoise en est une progressiste et moderne qui répartit la richesse. Quant à notre système de santé, même s'il est l'objet de diverses stridences et critiques, nous devons admettre que peu de systèmes sont aussi égalitaires et solidaires. Il s'agit de l'une de nos plus belles conquêtes.

Un nouveau défi : la mondialisation

Notre État a livré la marchandise et apporté ce que l'on attendait de lui. Il est bien organisé, répartiteur, dynamique et démocratique. Cependant, la globalisation et la mondialisation des marchés peuvent menacer ces acquis. La mondialisation des marchés n'est pas, comme on le prétend trop souvent et à grand bruit, un phénomène rétrograde de droite et de possédants. Il s'agit d'un mouvement qui a été mis en place, dans la plupart des cas, par des progressistes et des socialistes comme en France, en Allemagne et en Angleterre. La mondialisation est née des souffrances de l'Europe de l'Ouest, qui après trois guerres en cent cinquante ans, a compris que l'on ne pouvait plus continuer à laisser cette agressivité, à base matérielle, mercantile et impérialiste, dresser les peuples les uns contre les autres.

Sur le plan intellectuel, Ricardo et Adam Smith, comme d'autres économistes, prônaient depuis des siècles l'interdépendance économique des nations. Le traité de Rome de 1957 a été l'acte de naissance de la mondialisation des marchés en préconisant l'établissement des quatre libertés de circulation : biens, services, capitaux et personnes. Cette culture progresse en Europe de l'Ouest avec l'Union européenne, en Amérique du Nord avec l'ALENA ainsi qu'en Amérique du Sud avec le Mercosur, sans compter les nombreuses autres zones d'intégration à travers le monde. Elle avance aussi de façon transnationale par l'action de l'Organisation mondiale du commerce qui poursuit et élargit la mondialisation. Cela ne veut pas dire pour autant que l'on doive se transformer en chantre aveugle de ce phénomène. Un changement de cette ampleur peut créer des problèmes graves comme la Révolution tranquille en a créé d'ailleurs. Une révolution ne se fait pas sans causer des dommages parfois considérables et longs à réparer. La globalisation est une révolution.

Nous avons vécu de protectionnisme, de colonialisme, de mercantilisme et d'égoïsme national pendant des siècles. Nous décrétons aujourd'hui, par négociations et par traités, que les frontières sont abolies.

Les menaces que renferme une telle ouverture sont d'abord liées à l'anarchie qui résulte de la déréglementation universelle. Certains milieux néolibéraux, qui s'opposent à toute espèce de réglementation, s'en réjouissent mais il est clair qu'une telle position nous fait régresser.

L'homme des cavernes, il est vrai, n'était guère réglementé. Une lente et parfois pénible évolution nous a appris que tous les rapports économiques et sociaux doivent être encadrés, sous peine d'anarchie, d'injustice, d'exploitation et de domination.

Un premier danger, en l'absence d'autorité supranationale pour civiliser et réguler tous ces échanges maintenant libres, consiste à sabrer tout simplement dans le gouvernement par les sociétés transnationales et multinationales.

Il ne valait pas la peine de faire tous ces combats démocratiques et de laisser autant de morts sur le terrain de la conquête du gouvernement du peuple par le peuple pour maintenant céder le pouvoir aux actionnaires des grandes entreprises et être gouvernés par leurs PDG plutôt que par nos élus.

Un second danger est d'ordre social et est lié aux conditions de production totalement inacceptables que peut encourager une liberté totale des marchés. Il ne s'agit pas d'un progrès pour l'humanité si, par exemple, des chaussures sont fabriquées la nuit par des enfants de douze ans dans des conditions proches de l'esclavage. Aucun consommateur ne peut accepter d'exploiter à son profit une liberté vue de cette manière.

Un troisième danger est d'ordre culturel. Si la mondialisation des marchés se traduit par l'homogénéisation des cultures, des nations, des peuples et des racines, nous ne pouvons non plus parler de progrès mais bien de régression. Si nous faisons, à juste titre, la promotion de la biodiversité, à plus forte raison soutenons celle de la diversité humaine.

Enfin, en quoi la mondialisation menace-t-elle l'État national que nous nous sommes donné en 1960 et la démocratie elle-même ? Les décisions qui affectent notre vie de tous les jours de plus en plus ne seront plus prises à Québec ni à Ottawa. Elles seront prises, afin de réguler la mondialisation et de la civiliser, autour de tables multinationales où iront s'asseoir les nations. Le Luxembourg, la République fédérale d'Allemagne et l'Équateur sont à ces tables, alors que le Québec n'y est pas. Ainsi, les lieux de représentation s'éloigneront de plus en plus de nous et notre État national perdra de plus en plus de pertinence et de pouvoir, ce qui portera ainsi atteinte à la qualité démocratique de notre société.

L'Assemblée nationale a déjà beaucoup moins de pouvoir aujourd'hui qu'elle en avait quand René Lévesque a fait élire le Parti Québécois pour la première fois en 1976. Progressivement, plusieurs responsabilités et pouvoirs ultimes nous ont été retirés. Rappelons-nous que la Constitution du Canada a été changée contre notre volonté quasi unanime, avec des conséquences dramatiques. Pensons également aux assauts répétés contre notre législation linguistique qui ont ébranlé le socle même de notre vie politique et démocratique québécoise. Puis enfin, cette union sociale que nous refusons et qui porte atteinte directement à notre droit de nous gouverner.

La suite naturelle de notre révolution : la souveraineté

Sans faire allusion à la nécessité d'une autre Révolution tranquille, ne pourrions-nous pas simplement aller au bout des conséquences de la première ? Par la première révolution, nous nous sommes donné un État. Ne serait-il pas prudent maintenant, si l'on ne veut pas avoir fait tout ce chemin pour rien, de maintenir cet État ? Ne serait-il pas prudent maintenant de faire en sorte que cet État ne perde pas sa pertinence ? Que cet État actuellement sous-national ait accès aux véritables décisions, ne serait-ce que par prudence élémentaire et instinct de survie ? Dans le nouveau contexte, la nation n'a pas perdu sa raison d'être ni son caractère essentiel, bien au contraire, ni au niveau des sentiments et de l'amour de la patrie ni au niveau de la fonctionnalité des rapports entre les groupes humains. Pour les six milliards d'êtres humains, l'histoire et la nature des choses ont créé ce relais essentiel qu'est la nation.

Les Québécois et les Québécoises de toutes origines, mis à part les Amérindiens qui forment eux-mêmes des nations, forment une nation. Cela fait consensus. Le jour viendra où un second consensus sera atteint et notre peuple décidera de s'asseoir où il doit être, aux tables où s'assoient les nations, dans le « concert des nations » comme on dit. Ce choix est nécessaire pour que nous gardions notre démocratie vivante et notre économie dynamique et puissante, afin de nous donner des moyens d'établir la fraternité et la justice sociale, ce qui est le rêve que chacun de nous doit avoir pour sa patrie et qui était précisément le rêve de la Révolution tranquille.

L'équilibre des finances publiques :
une question de solidarité
et de responsabilité

L'approbation du budget :
un acte démocratique crucial

Extrait de la préface du livre de Luc Bernier, Guy Lachapelle et Pierre-P. Tremblay, Le processus budgétaire au Québec, Montréal, *Presses de l'Université du Québec, 1999.*

Tout comme le Québec qui s'est prodigieusement transformé depuis quelques décennies, l'exercice démocratique d'approbation des budgets par l'Assemblée nationale a changé lui aussi et subi de profondes modifications.

Tous les pays cherchent la sanction démocratique formelle de la dépense publique suivant leur génie propre et les procédures utilisées sont très variées. Au Québec, notamment par influence historique britannique, on donne beaucoup d'importance et d'éclat depuis deux siècles et jusqu'à nos jours au discours sur le budget en tant qu'événement politique et parlementaire majeur : c'est le pivot de toute l'opération.

Mais, pour le reste, le cheminement budgétaire a radicalement évolué avec le temps pour mieux refléter la progression de notre société et la complexité croissante de sa vie démocratique.

À l'époque où je faisais l'apprentissage de la vie politique dans les associations d'étudiants, il y a quatre décennies, les discours sur le budget étaient souvent sans éclat et avaient peu de choses en commun avec ceux d'aujourd'hui. Encore qu'en 1958-1959 le déficit ait tout de même été de zéro, ce fut par ailleurs la dernière fois jusqu'en 1998-1999. Pendant longtemps les discours sur le budget ont servi beaucoup plus à discréditer l'opposition qu'à présenter des perspectives économiques, sociales ou culturelles du Québec. Il faut dire qu'à cette époque le budget de la voirie excédait encore celui de l'éducation... et qu'on se plaisait à dire que les élections se gagnent avec le premier et se perdent avec le second !

Avec la Révolution tranquille les nouveaux commis de l'État ont investi, avec leurs sciences et méthodes, aussi bien le processus budgétaire que les autres domaines cruciaux de la gestion publique. Ce n'est qu'à cette époque qu'au ministère des Finances du Québec la langue de travail a cessé d'être l'anglais ! En même temps, on a remplacé les techniciens par des professionnels, les comptables par des économistes. Certains diront que cette substitution fut pour notre plus grand malheur, en matière de déficit notamment, puisque, ne retenant qu'une partie du message de Lord Keynes, ils ont laissé le niveau de dettes s'accumuler à des hauteurs vertigineuses.

De toute manière, les Jean Lesage, Raymond Garneau, Gérard D. Lévesque, entre autres, et, de façon magistrale, Jacques Parizeau ont donné au discours sur le budget une dimension véritablement étatique et une vision dépassant le strict cadre des comptes publics. On a aussi vu le processus budgétaire devenir plus systématique par l'adoption en particulier de la Loi de l'administration financière. Les équipes de soutien étant plus nombreuses, mieux préparées et mieux organisées, les documents budgétaires ont acquis le volume, la densité et la dimension pédagogique et transparente qu'on leur connaît aujourd'hui. Cela est encore plus vrai depuis la grande réforme comptable du budget 1998-1999.

Bien entendu, ces budgets étaient conformes, dans la foulée de la Révolution tranquille, à la conception qu'on se faisait alors de l'État providence, que l'on croyait tout-puissant et doté de moyens infinis pour faire évoluer la société vers la terre promise socioéconomique et réaliser le bonheur du peuple.

À l'ère de la mondialisation et de la fin des « trente glorieuses », l'État d'aujourd'hui n'a plus les mêmes moyens d'action. Avec le recul et considérant l'énorme endettement, on peut penser qu'il ne les avait pas tout à fait non plus à l'époque.

Ce qui a sans doute le plus changé et possiblement plus au Québec qu'ailleurs, c'est la relation de l'État avec la société civile quant à ses orientations socioéconomiques et budgétaires. Ce n'est pas le moindre des bénéfices de la Révolution tranquille que d'avoir créé une classe de citoyens nettement mieux éduqués et plus conscients de leur rôle et de leur responsabilité dans la conduite des affaires publiques. On ne peut plus aujourd'hui gérer les affaires de l'État comme si le seul pouvoir du citoyen consistait à s'exprimer par son vote une fois tous les quatre ans.

Cette espèce de prise de pouvoir de la part de la société civile n'est pas sans conséquence sur le processus budgétaire. Dès son arrivée au pouvoir, en 1976, René Lévesque donnait le départ d'une tradition de concertation, maintenant bien établie au Québec, en convoquant le premier sommet socio-économique à Pointe-au-Pic. Quelques années plus tard, il réunissait les mêmes partenaires pour discuter cette fois d'une question essentiellement budgétaire : comment s'adapter à la récession qui frappait à ce moment-là. En 1993, le gouvernement publiait *Vivre selon nos moyens* et convoquait la Commission du budget et de l'administration pour à peu près les mêmes motifs.

Ce genre de consultations fait maintenant partie de nos mœurs politiques. Si nous avons réussi à nous sortir du cercle vicieux de l'endettement, c'est parce que, tous ensemble au Sommet de Québec, puis unanimement à l'Assemblée nationale, en votant la loi pour nous y contraindre, nous avons choisi de faire les sacrifices nécessaires pour équilibrer nos comptes. Si nous avons réussi à redresser de façon significative la situation de l'emploi, c'est parce que nombre de groupes de travail se sont acharnés à trouver des solutions novatrices, aussi bien entre le Sommet de Québec et celui de Montréal, que pendant et dans les suites de ce dernier.

Au moment où j'écris ces lignes, une commission parlementaire sur la réduction des impôts est en préparation. Comme on le voit, l'ordre du jour se déplace du déficit vers la fiscalité mais le processus s'enracine toujours de plus en plus. C'est avec l'ensemble de la société que se tracent maintenant les grandes orientations en matière fiscale et budgétaire. On souhaite que cet exercice ait autant de succès que pour l'élimination du déficit. [...]

Pour le développement du Québec : l'essentielle alliance de l'économique et du social

Le Devoir, *le 29 octobre 1996.*

Devant les choix parfois déchirants auxquels est confronté notre gouvernement dans cette période difficile, on a tendance à opposer l'économique et le social, et ceux qui sont appelés à les incarner. Il s'agit là d'un mauvais réflexe hérité d'une époque révolue. L'économique et le social ne sont pas antinomiques, ils sont complémentaires. En fait, ces deux branches, nécessaires au développement de notre société, découlent d'une seule et même politique.

La politique de ce gouvernement est celle d'un parti résolument social-démocrate, avec ses aspirations, ses convictions et ses projets de réformes progressistes, qui a été mandaté par la population du Québec pour mener une gestion responsable de l'État à un moment particulièrement critique. D'autant plus critique que la crise des finances publiques a été exacerbée par près de dix ans de laisser-aller de nos prédécesseurs libéraux qui, contrairement à la quasi-totalité des gouvernements du continent, n'ont pas contrôlé la hausse des dépenses, et que cette crise a été aggravée par des compressions de transferts sans précédent de la part de leurs grands frères fédéraux. L'effet cumulé des compressions dans les transferts d'Ottawa depuis 1982 représente cette année un manque à gagner de 3,2 milliards de dollars dans notre budget. Sans ce pelletage, nous serions en pratique au déficit zéro.

Malgré cette situation extrêmement inconfortable, notre compassion pour les plus démunis, les chômeurs et les exclus doit guider nos gestes, tout autant que la poursuite de la responsabilité financière. La politique du gouvernement n'est donc pas contradictoire. Elle vise le juste équilibre entre les ressources affectées à soulager les misères humaines et celles qui doivent favoriser la création d'emplois, afin de renforcer le Québec.

Finances publiques et programmes sociaux

Notre social-démocratie a pour souci principal d'assurer l'égalité des chances à toutes les citoyennes et à tous les citoyens du Québec. Pour y arriver, on a tissé un filet de sécurité sociale touchant les besoins fondamentaux en matière de santé, d'éducation et de revenu, principalement. Or, dans la situation actuelle, pour chaque dollar de dépenses, près de 20 ¢ sont affectés au seul remboursement des intérêts sur la dette, soit un montant de plus de 6 milliards pour la seule année en cours, ce qui ne se prête pas à une expansion de la protection sociale. Cela nous commande plutôt de consolider ce filet afin d'empêcher que la crise des finances publiques ne l'emporte, par lambeaux ou en bloc.

Toute la politique budgétaire du gouvernement vise donc à dégager une marge de manœuvre pour continuer d'être en mesure d'assumer nos responsabilités sociales, comme le stipule le programme du Parti Québécois. La réduction du déficit n'a jamais été un objectif en soi. L'assainissement des finances publiques n'est pas le projet central du gouvernement et encore moins un projet de société ! C'est pour améliorer le bien-être des Québécoises et des Québécois qu'on doit remettre de l'ordre dans nos finances, que ce soit pour développer l'emploi, réduire la ponction fiscale ou maintenir et développer de nouveaux programmes sociaux. D'ailleurs, on n'a pas gelé ou renoncé pour autant à toute réforme. À preuve, l'instauration d'un régime d'assurance-médicaments qui couvrira 1,2 million de Québécoises et de Québécois jusqu'ici oubliés. À preuve, un projet amélioré d'équité salariale qui contribuera efficacement à redresser une discrimination que l'on ne pouvait plus tolérer. À preuve, le budget du 9 mai dernier, un budget social-démocrate, qui n'affecte personne dont le revenu net est inférieur à 25 921 $.

D'autres choix étaient possibles et ont été faits ailleurs. En Ontario, par exemple, les réductions massives de taxes annoncées ont été rendues possibles par des compressions additionnelles dans les dépenses sociales. Bref, on a enlevé aux plus pauvres pour financer des baisses de taxes qui profitent surtout aux plus riches.

À l'inverse, la lutte que nous avons décidé quant à nous de mener contre le travail au noir et l'évasion fiscale relève de notre conviction que payer ses impôts est un geste social et que tous doivent acquitter leur dû. L'équité dans l'effort d'assainissement commence par la justice fiscale.

Cependant, de la même façon que le gouvernement ne repousse pas les réformes urgentes, il est bien déterminé à mener à terme l'élimination du déficit, qui est un passage obligé. Le rythme de réduction du déficit demeure de 3,2, 2,2, 1,2 en milliards pour cette année et les deux suivantes, de sorte qu'on atteindra le déficit zéro en 1999-2000. Les compressions budgétaires nécessaires seront faites, autant parce qu'il serait immoral de repousser le fardeau de nos dépenses courantes aux générations futures que parce que nous n'avons pas le choix : non seulement on nous ferait payer plus cher nos emprunts pour financer le déficit, mais on risquerait fort de ne plus vouloir nous prêter du tout, comme c'est arrivé en Nouvelle-Zélande et ailleurs, si l'irresponsabilité fiscale devait prévaloir.

Le rôle de l'État

La cure d'amaigrissement qu'on applique aux dépenses publiques ne signifie pas par ailleurs que le gouvernement renonce au rôle que doit jouer l'État et à son intervention dans le développement économique et social. Nous croyons toujours au modèle québécois qui, en plus d'être caractérisé par le dialogue entre les agents économiques, fait une place non négligeable aux outils économiques que se sont donnés collectivement les Québécoises et les Québécois.

Ainsi, la Société de développement industriel (SDI), la Société générale de financement (SGF), la Caisse de dépôt et placement, de même que la Société québécoise de développement de la main-d'œuvre (SQDM), par exemple, continueront de façon plus ciblée à épauler les projets des créateurs d'emplois québécois. Le gouvernement continuera à privilégier le développement des entreprises de haute technologie grâce au crédit d'impôt en R-D, qui connaît un succès retentissant et qui assure une place enviable au Québec dans la nouvelle économie. L'ère des subventions directes aux entreprises est cependant révolue, sauf exception rarissime. Puisque, dans ce domaine non plus, ce n'est pas le temps de procéder à une expansion des dépenses de l'État. C'est par des moyens moins coûteux et plus efficaces que le gouvernement interviendra de plus en plus, notamment par des garanties de prêt ou par des prêts remboursables, ou encore par de nouvelles formules de partenariat. Avec des budgets limités, l'effet de levier dans l'économie est ainsi décuplé.

Dans ces conditions et en toute logique, il n'est pas question de relancer l'économie et l'emploi par un plan d'action qui ferait appel à la dépense publique, au-delà de ce qui existe déjà. En fait, l'élimination du déficit, avec toutes ses retombées positives, constitue un élément fondamental d'une politique de l'emploi.

Les perspectives

Le gouvernement entend poursuivre les projets de réforme contenus dans le programme du Parti Québécois. Sa priorité doit précisément consister à se donner une marge de manœuvre pour être de nouveau en mesure d'opérer à un rythme satisfaisant le véritable développement d'ensemble, à la fois économique et social, du Québec.

En attendant, bien sûr, il nous faudra « prioriser » les réformes les plus urgentes et dont le coût est abordable. Et encore, d'une façon intelligente, c'est-à-dire en faisant appel à une réorganisation des façons de faire et à une réaffectation des ressources, la plupart du temps. Le calendrier budgétaire nous annonce dix-huit mois de compressions suivis d'une autre période d'égale durée de gel des dépenses. Ce n'est qu'alors qu'on pourra véritablement, de façon responsable, compléter le filet de protection sociale.

Solidarité et responsabilité

Comme le disait si justement le premier ministre lors de la Conférence socioéconomique de mars, tous ont intérêt à ce que le Québec retrouve le chemin de la prospérité. Les fédéralistes comme les souverainistes, les patrons comme les syndicats y trouveront leur compte. Car, en définitive, les gens n'existent pas en fonction de l'économie, c'est l'économie qui doit être mise au service des gens.

L'exercice de l'assainissement des finances publiques met la société québécoise à rude épreuve. Si nous voulons laisser un héritage aux générations futures, ce devrait être celui d'avoir solidairement pris nos responsabilités. Le legs de dettes et de déficits que nous a fait une certaine coalition fédéralo-libérale est un test ultime de notre détermination, nous qui sommes le parti de la responsabilisation, de la prise en main de notre destinée, de la souveraineté.

Grâce au leadership de Lucien Bouchard, nous avons bon espoir de réussir ce test ultime. Et le Québec pourra alors, une fois rétablie sa santé économique et financière, briser le cercle vicieux de l'incertitude politique de la seule façon possible, soit en accédant à la souveraineté. Et, s'ils

optent pour la souveraineté, quel meilleur cadeau les Québécoises et les Québécois pourront-ils s'être donné que d'entrer
dans le concert des nations avec des finances en ordre ?

Les bonnes résolutions
sont celles que l'on tient

La Presse, *le 30 janvier 1997*.

L'atteinte de l'équilibre budgétaire, que notre Assemblée nationale a formellement consacrée avec son échéancier, dans une loi adoptée à l'unanimité le 19 décembre, requerra un sens des responsabilités collectives égal à ce qui nous fut demandé aux moments les plus difficiles de notre histoire.

Le bien commun est en cause, et plusieurs aspirations légitimes d'individus comme de groupes devront forcément, pour un temps, lui céder le pas. C'est pourquoi je crois qu'il est de mon devoir, en ce début d'année, de redire une fois encore les raisons profondes de ce grand réajustement, d'illustrer à nouveau son absolue nécessité et d'en repréciser les modalités.

On se souvient que le consensus de départ fut assez facile à faire. Le gouvernement Bouchard s'est ajusté rapidement aux vœux de ses partenaires, exprimés au Sommet de mars dernier. Ainsi fut atténuée la pente raide de réduction du déficit budgétaire tracée par Jacques Parizeau, qui prévoyait atteindre en deux ans l'équilibre du compte courant, c'est-à-dire cesser, à compter de 1997-1998, d'emprunter pour payer les dépenses courantes. En mars, on s'entendit pour que l'équilibre du compte courant soit atteint plus tard, mais que l'on continue, dans la foulée, vers le véritable déficit zéro. C'est à ce moment que fut établie de concert la fameuse séquence conduisant à l'équilibre global des entrées et des sorties : de 3,2 milliards à 2,2, puis 1,2 et enfin zéro, en 1999-2000. On la retrouve inchangée dans le budget 1996-1997, de même que dans le rapport unanime de la Commission sur la fiscalité.

Pour que le gouvernement et ses partenaires soient parvenus si rapidement à un consensus aussi lourd de conséquences, il fallait que ses fondements fussent d'une évidence fulgurante : le Québec est la plus endettée des provinces canadiennes, à hauteur de 10 400 $ par citoyen ; cette masse accumulée au cours des ans totalise 76 milliards de dollars et mobilise à son service 6 milliards de dollars par année d'argent frais versé en intérêts, lamentablement stérilisé plutôt que consacré au développement de notre peuple. En plus, cette énorme dette hypothèque injustement l'avenir des jeunes, car la moitié vient de notre surconsommation passée plutôt que d'investissements durables. [...]

La seule politique qui convienne dans les circonstances ne relève donc pas d'une idéologie, d'une religion ni d'une mystique : il faut simplement arrêter de s'endetter. La seule façon acceptable de le faire, c'est de ne pas dépenser plus que l'on gagne, pour ramener le déficit à zéro dans un premier temps et faire des surplus ensuite afin de réduire la dette accumulée. On voit que cela ne tient pas du calcul savant mais du simple bon sens et des règles élémentaires de l'économie domestique. Il est vrai qu'une inflation élevée a pu, dans le passé, aider les gouvernants à annuler partiellement la dette publique, mais ce procédé est malsain, inéquitable et de surcroît théorique ces années-ci.

Quant à la fuite en avant par la hausse du niveau général des impôts, il est clair que cela ne peut être la solution : le fardeau fiscal global du Québec est déjà de 8 % supérieur à celui de l'Ontario, lui-même en baisse. Répartir ce fardeau d'une façon plus équitable et mieux percevoir ce qui est dû à l'État représentent à peu près tout l'espace disponible. La Commission sur la fiscalité et le financement des services publics nous a tracé plusieurs pistes prometteuses en matière de justice et d'équité fiscale dont le prochain budget devra tenir compte. Peu de gens au Québec désirent ou accepte-raient une hausse marquée des impôts et taxes.

Ces quelques lignes directrices simples, mais systémati-quement appliquées, nous placent déjà sur la bonne voie : le cercle vertueux commence à remplacer le sempiternel cercle vicieux. Pour la première fois en vingt-cinq ans, les dépenses du Québec ont décru en 1995-1996. Après six années con-sécutives d'objectifs budgétaires non tenus par le gouver-nement libéral, le budget Campeau a ramené le déficit au niveau prévu l'an dernier, soit 3,9 milliards de dollars. L'ob-jectif de 1996-1997 sera atteint lui aussi et, à moins d'une catastrophe aussi majeure qu'improbable, le déficit sera de 3,2 milliards de dollars.

Sur la base de ces premiers succès, nous pouvons enfin espérer bâtir un Québec plus fort financièrement et écono-miquement. Mais il est facile de voir quelles embûches me-nacent ces modestes débuts puisque, malgré quelques divi-dendes déjà tangibles, la vraie récompense ne saurait être immédiate.

Certes, la réduction des déficits gouvernementaux per-met déjà la baisse généralisée des taux d'intérêt à leur niveau le plus bas depuis trente ans, et l'écart entre les taux payés par le Québec et le Canada pour leurs emprunts s'est forte-ment resserré. L'atteinte de nos objectifs budgétaires a com-mencé également à restaurer la crédibilité des prévisions gouvernementales et à redonner confiance aux investisseurs étrangers. On crée ainsi les conditions propices à l'investis-sement et à la création d'emplois.

Cependant, l'essentiel des retombées positives sera res-senti plus tard, alors que les efforts sont pour tout de suite et pour tout le monde, sauf évidemment pour les plus démunis. Des millions de Québécois et de Québécoises sont et seront appelés à faire leur part. Il faudra donc beaucoup de cons-tance et de courage pour empêcher que la volonté collective ne s'émousse avec le temps. Surtout que l'effort doit por-ter principalement, bien que non exclusivement, sur la com-pression des dépenses, politique plus facile à soutenir, comme chacun sait, quand elle touche à autrui plutôt qu'à soi-même.

Irrité par tel ou tel inconvénient réel que l'on subit et perçoit parfois comme injuste, il est facile aussi de dériver vers de mauvais procès d'intention idéologique. Taxer de « néolibéralisme » ceux qui se font un devoir de préserver la crédibilité et la solvabilité de l'État relève plus de la démagogie que de l'analyse raisonnable. Comme 80 % des dépenses publiques du Québec vont à la santé, l'éducation et les transferts sociaux, il n'est pas difficile d'identifier d'avance quelles seraient les premières victimes d'une déroute financière de notre État national. Les néolibéraux veulent réduire au minimum la capacité d'agir de l'État ; le présent gouvernement fait tout, au contraire, pour préserver la crédibilité de l'action collective et en restaurer les marges de manœuvre.

C'est rechercher aussi une forme supérieure de justice sociale que de ne pas vouloir écraser de nos dettes de surconsommation impayées une génération montante qui a déjà bien assez d'autres sujets d'inquiétude.

Les progressistes doivent considérer également que le manque de rigueur en matière de finances publiques pourrait ramener aux affaires des gouvernants moins enclins à la concertation que celui de Lucien Bouchard et qui, sans prendre les mêmes précautions quant aux moyens à employer, devraient fatalement poursuivre les mêmes objectifs. [...]

Enfin, ceux et celles qui croient la souveraineté du Québec essentielle à la survie et à l'épanouissement de notre peuple ont une motivation supplémentaire pour soutenir cette politique de rigueur. Notre part inévitable du déficit canadien devra en effet s'ajouter à celui de notre nouvel État. Si nous avons ramené le déficit « provincial » à zéro au moment d'accéder à la souveraineté, notre déficit, lors de notre entrée dans le concert des nations, ne sera que d'environ le quart du montant du déficit fédéral. Ce qui veut dire que le premier déficit du Québec souverain sera inférieur, avant même toute rationalisation, au dernier déficit que nous ont laissé les libéraux en 1994-1995 : un solide argument de plus pour maintenir le cap et raviver les énergies défaillantes. Pour autant, il va de soi que le déficit zéro ne saurait être une condition de la souveraineté : il va aider notre accession, mais si le club des Nations unies exigeait de tous ses membres une santé financière resplendissante, l'Assemblée générale serait clairsemée ! [...]

Les besoins sont au Québec, l'argent est à Ottawa

La Presse, *le 25 février 1999*.

La réaction du gouvernement du Québec au dernier budget fédéral a suscité plusieurs éditoriaux et commentaires. Il m'apparaît important de porter à l'attention des Québécoises et des Québécois certaines informations qui permettront d'éclairer sous un jour nouveau les décisions annoncées par le gouvernement fédéral dans son budget du 16 février dernier.

Le Québec est lourdement pénalisé par le dernier budget Martin : il ne recevra que 8 % des nouveaux fonds fédéraux en santé.

D'abord quelques faits. M. Martin a annoncé la semaine dernière que le gouvernement fédéral consacrerait des fonds additionnels à la santé. En même temps, il a annoncé sans préavis une modification de la formule utilisée pour répartir, entre les provinces, l'ensemble des fonds versés pour la santé, l'éducation postsecondaire et l'aide sociale.

Résultat du changement de formule : le Québec perdra 333 millions de dollars en 1999-2000, de sorte qu'il n'obtiendra que 150 millions de dollars des nouveaux fonds ajoutés par le gouvernement fédéral en santé, soit 20 $ par habitant, comparativement à 950 millions de dollars pour l'Ontario (82 $ par habitant).

Au total, au cours des cinq prochaines années, le Québec obtiendra à peine un peu plus de 8 % des 11,5 milliards de dollars additionnels que le gouvernement fédéral injectera dans la santé.

C'est une situation inacceptable, surtout si l'on tient compte des compressions répétées dans les transferts fédéraux, depuis le début des années quatre-vingt, qui privent le Québec, année après année, de montants substantiels, dont 4,3 milliards de dollars cette année.

Une modification sournoise aux transferts pour l'aide sociale

L'un des arguments invoqués par le gouvernement fédéral pour modifier sans préavis la formule de répartition, entre les provinces, des transferts versés au titre du Transfert canadien en matière de santé et de programmes sociaux (TCSPS) est qu'une répartition sur la base de la population est plus équitable.

D'abord, il est important de souligner que les transferts à l'égard de la santé et de l'enseignement postsecondaire sont déjà, depuis 1977, répartis entre les provinces sur la base de leur population. Seuls les transferts à l'égard de l'aide sociale ne l'étaient pas.

Le fait de ne plus indemniser le Québec pour ses besoins plus importants que ceux d'autres provinces en aide sociale, c'est ça l'injustice du budget Martin.

Plafond à la croissance des transferts aux provinces nanties,
mais plafond aussi à la péréquation

Une seconde raison invoquée par le fédéral pour pénaliser le Québec est le plafond imposé en 1990 par le gouvernement fédéral sur la croissance des transferts versés aux trois provinces les mieux nanties, soit l'Ontario, l'Alberta et la Colombie-Britannique.

Cependant, ce qu'on omet de nous dire, c'est que, depuis la fin des années quatre-vingt, le Québec a subi lui aussi les effets d'un autre plafond, celui-là imposé à la péréquation. Le Québec a été privé de 1,8 milliard de dollars de transferts en raison de ce plafond.

Répartition de l'ensemble des dépenses au prorata de la population : la situation la plus défavorable pour le Québec

En 1995, lorsque M. Martin avait décidé de consulter les provinces sur la formule de répartition du TCSPS, son collègue, M. Marcel Massé, avait déclaré au sujet de l'adoption d'une formule basée uniquement sur la population : « Ce serait la situation la plus défavorable possible qui puisse arriver au Québec, tellement défavorable qu'à mon avis, cela n'a pas de sens que ce soit la solution. » (*Le Soleil*, 4 mars 1995.)

Il faut croire que M. Martin avait écouté son collègue ainsi que les représentations que le Québec avait faites après le budget fédéral de 1995, car, lors de son budget de mars 1996, M. Martin a décidé d'adopter une formule de répartition du TCSPS qui ne reposait que partiellement sur le critère de la population. Cette décision a été concrétisée par l'adoption de la loi C-31 par la Chambre des communes, le 20 juin 1996, qui fixait la méthode de répartition des transferts au titre du TCSPS entre les provinces pour la période 1997-1998 à 2002-2003. Elle stipulait que la pondération accordée à la population allait s'accroître, pour passer de 10 %, en 1998-1999, à 50 %, en 2002-2003.

Une réforme fédérale sans préavis

Depuis lors, le gouvernement fédéral n'a jamais indiqué qu'il avait l'intention de revenir sur sa décision de 1996 et ce, jusqu'au budget de mardi dernier, 16 février 1999, lorsqu'il a annoncé qu'il ne respecterait pas l'engagement qu'il avait pris en 1996.

De plus, contrairement à ce que certains prétendent, il n'y a jamais eu de consensus des provinces demandant une formule de répartition basée uniquement sur la population.

Dans sa lettre au premier ministre du Québec parue dans *La Presse* d'hier, M. Stéphane Dion affirme que, lors de la réunion fédérale-provinciale des ministres des Finances du 15 juin dernier, et je cite, « les ministres des Finances des provinces, à l'exception de celui de votre gouvernement, ont remis au ministre Martin un document qui lui demandait d'égaliser le transfert social canadien à une base *per capita* si la péréquation pouvait être bonifiée de façon concomitante ». Cette affirmation appelle deux commentaires. D'abord, en plus du Québec, deux provinces, la Nouvelle-Écosse et Terre-Neuve, se sont prononcées contre cette proposition. Il n'y a donc pas eu de consensus des provinces à cet égard. Par ailleurs, M. Dion dit lui-même que les provinces demandaient de bonifier de « façon concomitante » (*i. e.* simultanée) le programme de péréquation. Le budget Martin du 16 février dernier n'a rien fait de tel.

Le consensus des provinces : plus d'argent pour la santé,
mais pas de modification à la formule de partage

En fait, le consensus des provinces, il s'est exprimé dans la lettre signée par tous les premiers ministres des provinces et envoyée au premier ministre du Canada, le 22 janvier dernier : « Les premiers ministres des provinces et les chefs de gouvernement des Territoires ont discuté avec vous et entre eux de l'importance que revêt pour les Canadiens le fait que le gouvernement fédéral rétablisse en totalité, à l'intérieur d'un laps de temps raisonnable et par l'intermédiaire des arrangements existants en vertu du transfert canadien en santé et programmes sociaux, les diminutions qu'il a effectuées dans ses transferts au cours des dernières années. » Les « arrangements existants », cela signifie la formule que

M. Martin a fait adopter par le Parlement, en 1996, et qui devait s'appliquer jusqu'en 2002-2003.

Pourtant, dans son budget du 16 février dernier, le gouvernement fédéral a fait fi de la lettre des premiers ministres provinciaux du 22 janvier. Il a décidé de renier la formule adoptée par la Chambre des communes, en 1996, et d'amener la pondération de la population à 70 % en 1999-2000 (plutôt que 20 %, comme inscrit dans la loi de 1996), 75 % en 2000-2001 (plutôt que 30 %) et à 100 % en 2001-2002 (plutôt que 40 %).

Cette modification de la formule de répartition, qu'il n'avait pas préalablement annoncée aux provinces, fera perdre au Québec, selon les documents fédéraux, plus de 1,6 milliard de dollars sur la période 1999-2000 à 2003-2004. Pas surprenant alors que le Québec se retrouve avec une portion injuste et infime des nouveaux fonds fédéraux pour la santé.

Certains ont jugé excessive la réaction du gouvernement du Québec à cette annonce. C'est leur droit le plus strict. Cependant, les principes et l'ampleur des montants en cause justifient notre dénonciation.

Et que doit-on penser du geste du gouvernement fédéral qui renie l'engagement qu'il a pris, il y a quelques semaines, de consulter les gouvernements des provinces « au moins un an avant de renouveler ou de modifier de manière importante le financement des transferts sociaux existants aux provinces… » ?

Péréquation : un paiement qui découle
du fonctionnement normal du programme

Le gouvernement fédéral a fait grand cas du fait qu'il verserait au Québec un paiement exceptionnel de 1,4 milliard de dollars de péréquation, d'ici la fin de la présente année financière. Il faut bien réaliser que, contrairement à ce que certains ont voulu faire croire, ce montant ne découle pas de

quelconques bonifications apportées au programme de péréquation. Il découle du fonctionnement normal du programme en vertu duquel la valeur des paiements aux provinces est révisée périodiquement en fonction des données
disponibles sur la capacité fiscale des provinces.

Ce genre d'ajustements peut jouer dans les deux sens,
comme ce fut le cas en octobre 1994, alors que le gouvernement
fédéral avait informé le Québec que les paiements de transferts
qui lui étaient destinés seraient réduits de 544 millions de
dollars en 1994-1995. À ma connaissance, ni M. Martin ni
M. Chrétien n'avaient cru bon de publiciser ce genre d'ajustement, comme ils le font ces jours-ci.

De plus, on ne peut que prendre avec un grain de sel
l'affirmation fédérale selon laquelle le Québec recevra 34 %
des nouveaux transferts aux provinces. En effet, on obtient
ce pourcentage en additionnant les ajustements effectués à la
péréquation des trois dernières années et ce que le gouvernement fédéral prévoit que le Québec va recevoir en transferts
au cours des cinq prochaines années. Or, rien ne garantit aux
Québécois qu'ils recevront tout cet argent et ce, même si
M. Martin l'inscrivait dans une loi. Car on a vu au moment
du budget de la semaine dernière comment le gouvernement
fédéral ne respecte pas ses engagements, même ceux inscrits
dans une loi.

*Les dépenses qui favorisent le développement économique :
bien moins que notre part de population*

Il y a un dernier sujet que je désire aborder. C'est celui de la
part des dépenses fédérales dites « structurantes » effectuées
au Québec, c'est-à-dire celles qui favorisent le développement économique et la création d'emplois. Si, comme le soutient le gouvernement fédéral, il est maintenant plus équitable de répartir les transferts sociaux aux provinces selon leur
part de la population, ne serait-il pas également plus équitable que le gouvernement fédéral s'assure que la répartition de

ses dépenses de nature structurante corresponde également à la part de population des provinces ? Est-il normal que le Québec ne reçoive (j'utilise ici des données de Statistique Canada) que 19,7 % des dépenses courantes en biens et services du gouvernement fédéral ; 18 % des subventions fédérales aux entreprises ; 18,5 % des immobilisations et investissements du gouvernement fédéral ? Est-il normal que seulement 14 % des dépenses fédérales de recherche et développement en laboratoire se fassent au Québec et que le Québec ne dispose que de 16 % des laboratoires fédéraux et de 13 % du personnel fédéral en science et technologie ?

Conclusion

Il est assez étonnant que certains nous aient critiqués et accusés de faire du théâtre et de la « propagande partisane », alors que nos concitoyennes et concitoyens ont droit à une information complète sur ce que signifie réellement le budget fédéral pour le Québec.

Je trouve également regrettable que, dès que nous élevons la voix pour dénoncer une injustice faite au Québec, on nous accuse de le faire pour promouvoir l'option souverainiste. Ne comptez pas sur nous pour accepter un traitement injuste envers le Québec.

L'assainissement des finances publiques : un passage obligé

Conclusion du discours du budget 1996-1997.

[...] Pour nous, souverainistes, l'assainissement des finances publiques n'est pas une fin en soi. C'est un passage obligé pour continuer sur la voie du progrès collectif. Nous sommes en politique parce que nous aimons notre patrie, que nous souhaitons la faire entrer dans le concert des nations, et que nous voulons que tous ses enfants puissent se réaliser dans la dignité.

La création et le partage de l'emploi sont une condition de cette dignité. La préservation des solidarités sociales en est une autre.

Nous allons faire le grand ménage dans les finances publiques pour que l'argent disponible serve à investir dans l'emploi et non à financer le déficit ; pour que l'impôt ne s'alourdisse pas au point de tuer l'emploi ; pour que la menace des décotes et des compressions budgétaires à répétition cesse d'assombrir notre avenir et celui de nos enfants.

Mais nous ne sortirons pas tous les meubles pour nettoyer la maison. Éliminer le déficit ne nous obligera pas à démanteler nos solidarités essentielles, au contraire. Passer en revue toute la fiscalité, par exemple, doit être une occasion de faire progresser l'équité et la justice sociales.

Nous avons devant nous deux années budgétaires pénibles à traverser. Elles testeront le modèle québécois. Le Québec tout entier peut en sortir gagnant : plus dynamique, plus performant, plus solidaire. Et mieux préparé encore à assumer sa souveraineté.

Un voyage vers la santé économique et financière

Conclusion du discours du budget 1997-1998.

En conclusion, j'insiste pour dire à quel point j'ai cherché dans ce budget à allier le plus possible, comme trait de gouvernement, les vertus d'audace, de détermination et de ténacité que requièrent des circonstances particulièrement difficiles. [...]

[...] C'est un budget qui s'attaque aux vrais problèmes que vit le Québec et qui améliore notre compétitivité sans sacrifier nos idéaux de solidarité. C'est un budget qui met de l'ordre, qui prépare l'avenir et qui rehausse la crédibilité de notre État.

Tous ces travaux, longs et difficiles, sont une autre façon d'aimer notre patrie. Ce voyage vers la santé économique et financière recoupe parfaitement le cheminement vers notre destin national.

Dans tout ce que nous faisons, nous pouvons dire, comme Gaston Miron dans son vers immortel : «je n'ai jamais voyagé / vers autre pays que toi mon pays».

Le paradoxe québécois

Conclusion du discours du budget 1998-1999.

[...] Les orientations budgétaires, économiques et sociales que le gouvernement propose à cette assemblée et à la population du Québec [...] nous rapprochent méthodiquement, étape par étape, du déficit zéro prévu pour l'an prochain, ainsi qu'il en fut décidé, conjointement et solidairement, au Sommet de Québec. De plus, ces orientations s'inscrivent fidèlement dans la foulée des efforts déployés depuis le Sommet de Montréal pour atteindre notre objectif de création d'emplois d'ici la fin de 1999.

Avec la stratégie de développement économique *Objectif emploi* dévoilée aujourd'hui, nous sommes appelés à nous donner des objectifs pour mieux vivre et organiser l'après-déficit zéro, en saluant le nouveau millénaire.

Une chose cependant est certaine: nos efforts doivent mettre fin au fameux paradoxe québécois voulant que le Québec dispose de tous les outils pour réussir un décollage économique phénoménal, sans réussir à ramener son taux de chômage à un niveau acceptable. Un taux de chômage de près de deux points de pourcentage au-dessus de la moyenne canadienne, de façon persistante bon an mal an depuis que nous avons des statistiques économiques, soit depuis le début des années cinquante, cela est inconcevable et ne peut plus durer.

Qu'on songe à notre main-d'œuvre extrêmement qualifiée, à notre dotation en ressources naturelles, à notre puissante agriculture, au capital disponible en abondance pour fins d'investissement, à notre secteur privé et à nos entrepreneurs très dynamiques, à nos syndicats bien rompus aux réalités aussi bien sociales qu'économiques, à nos sociétés d'État maintenant bien orientées vers le rendement et le développement, à nos secteurs associatif et coopératif modernes et à notre économie largement orientée vers la haute technologie et l'exportation. Quand on songe à tout cela, on se rend compte que rien ne devrait nous empêcher de réserver le sort qu'il mérite à cet embêtant paradoxe, et dans les meilleurs délais.

Nous allons tout faire pour y arriver, avec les moyens non négligeables d'un gouvernement national qui pour l'instant est encore incomplet. Mais bientôt, quand notre peuple le voudra, nous aurons les outils plus solides, plus puissants et plus universels du pays souverain que nous méritons.

En attendant, nous cheminons vers notre destin avec un espoir ardent. L'an dernier, en terminant le discours du budget, j'avais cité ce beau vers de Gaston Miron qui résumait bien l'objet de nos labeurs : « je n'ai jamais voyagé / vers autre pays que toi mon pays ». Aujourd'hui, devant l'abondance des projets et des chantiers que nous proposons, je puiserai plutôt une magnifique phrase dans l'œuvre grande et puissante de Fernand Dumont, décédé le printemps dernier, qui écrivait : « Seul un pays peut être à la mesure de nos projets. » [...]

C'est par amour
que nous changeons l'histoire

Conclusion du discours du budget 1999-2000.

Au cours des quatre dernières années, le peuple du Québec aura franchi des étapes décisives dans sa longue marche vers la destinée qu'il mérite.

Au chapitre des finances publiques, notre gouvernement national a retrouvé un équilibre et, partant, une capacité d'agir inégalés depuis quarante ans.

Le Québec a réussi à développer des avantages et une expertise stratégique dans plusieurs domaines de l'économie nouvelle et du savoir : aérospatiale, technologies de l'information, pharmacologie et biotechnologies, multimédia et autres. On a vu le chômage passer sous la barre des 10 %, pour la première fois depuis 1990. On ne peut que s'en réjouir même s'il est évident que ce niveau laisse insatisfait.

Notre économie est plus que jamais ouverte sur le monde, et sa structure conjuguant haute technologie et activités plus traditionnelles fait l'envie des autres nations.

Sur le plan social, nous avons accompli des progrès substantiels dans le déploiement de nos solidarités : reconnaissance de l'économie sociale, développement des places de garde à 5 $ par jour, garantie d'appauvrissement zéro accordée et respectée pour les plus démunis. Saluons particulièrement le fait que, au cours des trois dernières années, plus de 75 000 ménages ont quitté l'aide sociale et participent maintenant au monde du travail.

Notre vie culturelle atteint des niveaux de raffinement remarquables, aussi bien en termes d'originalité que de variété. Elle profite aussi de l'apport de ces hommes et de ces femmes qui, venus d'ailleurs et accueillis à bras ouverts, ont choisi de s'intégrer à notre vie nationale pour l'enrichir.

Plusieurs étrangers vivant ici pour quelque temps nous disent que vivre au Québec, c'est comme vivre à la fois en Europe et en Amérique : voilà un formidable compliment en même temps qu'un modèle à parfaire.

Nous devons pousser plus loin encore ce culte de la qualité de notre mode de vie et de l'art de vivre en général.

À l'aube du troisième millénaire, le peuple du Québec peut considérer avec satisfaction les progrès accomplis tout au long d'une histoire parsemée de nombreux obstacles. Mais il doit surtout s'interroger sur les étapes nouvelles qu'il souhaite franchir, pour assumer mieux encore les ambitions qui l'animent et les rêves qui l'habitent. À voir ce que nous avons réalisé, confinés dans le statut réducteur de province, il est facile d'imaginer ce que nous ferions de notre pleine liberté nationale.

C'est pourquoi je crois qu'avant longtemps notre peuple choisira l'avenir qui lui convient, à la manière d'une « société libre d'assumer son destin et son développement » suivant l'expression de Robert Bourassa en cette Chambre le 23 juin 1990. Quand ce temps sera venu, nous aurons réalisé ces beaux vers de la grande Pauline Julien, qui nous a quittés au cours de l'année écoulée.

> C'est par amour que nous changeons d'histoire.
> C'est par amour que nous changeons l'histoire.

[...] C'est l'amour de la patrie qui a guidé et motivé la nombreuse équipe d'hommes et de femmes dévoués qui m'ont aidé à préparer ce budget que je soumets maintenant avec fierté à l'étude de notre Assemblée nationale.

Une nouvelle saison pour notre patrie

Conclusion du discours du budget 2000-2001.

En épilogue au livre de René Lévesque, *Option Québec*, le grand cinéaste Pierre Perrault, qui nous a quittés cette année, avait écrit : « Québec, c'est un mot qui grandit. » C'est l'impression qui ressort de plus en plus de nos succès contemporains. Dans le contexte de la croissance retrouvée et de nos finances publiques assainies, toutes nos réalités et valeurs nationales, matérielles comme immatérielles, grandissent.

On me permettra donc en terminant de m'éloigner un peu des préoccupations matérielles propres au budget pour aborder quelques questions cruciales pour notre vie en société. Il devient de plus en plus clair pour tout le monde que le régime politique canadien est irréformable. Il en est arrivé à nier l'existence même de notre nation. Un ministre fédéral écrivait au journal *Le Monde*, récemment, que nous ne formions « qu'une minorité parmi d'autres ». Ce régime se durcit au point de présenter à son Parlement une législation anti-démocratique qui déshonore le gouvernement du Canada ici comme à l'étranger.

Nous sommes loin, par ailleurs, autant dans la population que dans cette Assemblée, d'une quelconque unanimité quant à la résolution de notre question nationale.

Heureusement, on voit poindre, en attendant, une sorte de vision commune. À la suite des travaux de nombreux intellectuels publiés dans *Le Devoir* l'été dernier, un large consensus se confirme quant à la réalité existentielle du

Québec. Le journal *La Presse* a même récemment concouru à ce constat de plus en plus évident: le Québec forme une nation, tout autant que l'Irlande, l'Écosse ou la Slovénie, Israël ou la République tchèque. Notre nation fait même partie des vingt premières puissances économiques du monde, en avant de toutes celles que j'ai nommées.

[...] À ce stade-ci de notre histoire, il me semble que l'intérêt collectif requiert qu'en cette Assemblée, comme partout, notre patrie soit proclamée pour ce qu'elle est – une nation – et que sa liberté de choisir son destin soit sans cesse réitérée.

Pour nous de la majorité gouvernementale, et en tout respect des opinions divergentes, les voies de l'avenir sont limpides et parfaitement adaptées à notre temps: nous voulons refonder une union Canada-Québec, comme on parle de l'Union européenne, et la construire suivant les mêmes principes qui animent ce grand ensemble de pays souverains: libre circulation des biens, services, capitaux et personnes et création d'institutions supranationales qui assurent des rapports harmonieux entre les nations participantes. Une telle formule réglerait enfin, rapidement et pour toujours, la question lancinante des rapports entre le Québec et le Canada.

De notre côté, cette quête du pays se poursuit sans relâche ni détour, elle est constante. Comme le dit Gaston Miron dans *L'homme rapaillé*: « je n'ai jamais voyagé / vers autre pays que toi mon pays ».

Pour nous, le mot de pays est le seul qui convient pour désigner notre patrie. On le retrouve dans une belle phrase d'espérance de la grande écrivaine Anne Hébert, née à Sainte-Catherine-de-la-Jacques-Cartier, et qui y est revenue cette année pour y finir sa vie. Elle écrivait: « Il peut neiger, notre pays est à l'âge des premiers jours. » Il ne neigera plus guère, [...] le printemps est à nos portes. Je souhaite que ce budget soit reçu comme une manière de célébrer la venue d'une nouvelle saison pour notre patrie. [...]

Le libre-échange en Amérique :
dans l'intérêt du Québec

Pour le libre-échange avec les États-Unis

Le Soleil, *le 5 avril 1983*.

Le climat économique actuel a, au cours des dernières années, rendu nos relations commerciales avec les États-Unis plus difficiles. Quoique l'administration Reagan soit favorable au libre-échange, les politiques américaines, comme les politiques canadiennes d'ailleurs, deviennent généralement plus protectionnistes. La perte d'emplois aux États-Unis imputable aux importations a incité le Congrès à jouer un rôle plus actif dans l'élaboration de la politique commerciale. Ainsi, le Congrès exhorte l'administration à se montrer plus exigeante à l'égard de ses plus grands partenaires économiques : le Canada, le Japon et le Marché commun.

La protection accrue dont bénéficient les manufacturiers américains a contribué à ralentir la croissance de nos exportations. Toutefois, nous espérons une légère reprise cette année qui devrait s'accélérer en 1984.

La situation difficile actuelle a entraîné un certain nombre de conflits entre le Canada et les États-Unis, dont certains affectent le Québec ou risquent de le faire. Permettez-moi d'en mentionner quelques-uns. En premier lieu, le gouvernement des États-Unis est très mécontent des contrôles qu'exerce l'Agence de tamisage des investissements étrangers sur les investissements et la réorganisation des entreprises américaines et a déposé une plainte contre les pratiques de la FIRA auprès du GATT. Nous recommandons l'abandon du traitement individuel des cas en faveur de directives générales permettant un accroissement des investissements américains dans certains secteurs de notre économie.

En second lieu, le département du Commerce des États-Unis a institué une enquête sur l'industrie du bois d'œuvre canadien en réponse aux plaintes formulées par les producteurs américains, et selon lesquelles les gouvernements canadiens subventionnaient cette industrie. Cette enquête pourrait avoir de sérieuses répercussions sur le secteur des pâtes et papiers si les producteurs américains gagnaient leur cause. Cependant, le jugement préliminaire rendu par l'administration du commerce international du département du Commerce, au début de mars, nous apparaît très favorable, et nous espérons que la décision finale du département du Commerce à cet égard le sera tout autant.

En troisième lieu, le 23 décembre dernier, le Congrès américain a adopté des amendements à la Loi de l'aide aux transports en surface destinée à raffermir les dispositions concernant « l'achat de biens américains ». Ce geste a eu pour conséquence de relever de 10 % à 25 % l'avantage des prix consentis sur le ciment et l'acier américains.

En quatrième lieu, le contrat qu'a décroché Bombardier pour la fourniture de wagons pour le métro de New York illustre comment les efforts des agences gouvernementales canadiennes pour aider nos entreprises à concurrencer les ententes spéciales de financement souvent offertes par les gouvernements étrangers peuvent se retourner contre elles lorsqu'il s'agit de négocier sur le marché américain. Heureusement, la société Budd et les syndicats américains ont retiré leurs plaintes à la satisfaction de Bombardier. Toutefois, les Américains nous laissent entendre que le type d'aide au financement des exportations octroyée par la Société pour l'expansion des exportations et la Société de développement industriel du Québec pourrait être une source de problèmes à l'avenir.

Enfin, le protectionnisme américain se manifeste dans divers autres domaines, notamment en ce qui a trait aux produits agricoles. L'accusation lancée par les Américains voulant que le Québec pratiquerait le dumping de son sirop d'érable sur le marché américain constitue une question particulièrement épineuse.

En somme, la situation économique difficile a contribué à détériorer les rapports commerciaux entre les États-Unis, le Québec et le Canada en général. Nous espérons évidemment que le redressement économique facilitera la pratique du libre-échange que prêchent les États-Unis et tous les autres pays.

Nous savons tous qu'en théorie le libre-échange intégral à l'échelle internationale engendrerait l'utilisation plus productive des ressources naturelles et humaines du globe et, partant, une plus grande prospérité pour tous nos citoyens. Chaque pays se servirait de ses avantages relatifs et aucune barrière artificielle ne provoquerait de déformations déplorables du caractère rationnel des marchés.

En réalité, nous savons que le monde est bien loin de constituer l'univers idéal des économistes. Toutefois, les ententes du GATT offrent un cadre permettant aux nations de négocier leur mouvement progressif vers une zone de libre-échange. Les ententes du Tokyo Round auront, d'ici 1987, tracé la voie à une situation de quasi-libre-échange entre les États-Unis et le Canada.

À l'heure actuelle, aucun tarif ou tarif inférieur à 5 % n'est levé sur la plupart des produits canadiens vendus sur le marché américain. De plus, les accords bilatéraux spéciaux, comme par exemple le Pacte automobile, facilitent le commerce entre les deux pays.

Les taxes sur les exportations vers les États-Unis augmentent selon le degré de transformation ou de finition des produits. Cela est malheureux pour le Québec qui désire accroître le nombre de produits finis à l'exportation de même que pour l'Ontario qui, sûrement, est soucieux de préserver et d'étendre ses marchés de produits finis aux États-Unis.

Conformément au cadre du GATT, d'autres méthodes institutionnelles, telles que la création d'une zone de libre-échange, ou, à la limite, un marché commun, peuvent être envisagées. Jusqu'ici, la Communauté économique européenne constitue le seul exemple de réussite durable d'un marché commun. La création de la CEE et la tendance mondiale croissante vers l'utilisation de barrières non tarifaires, telles que les politiques d'achat gouvernementales, les vérifications douanières lentes et élaborées et les exigences complexes de conformité aux normes établies pour les produits, ont contribué à accroître l'importance des négociations commerciales entre les grands ensembles économiques, c'està-dire l'Europe, le Japon et les États-Unis.

Le Québec et le Canada, dans l'ensemble, sont des économies à faible échelle comparativement aux économies du monde et dépendent largement des exportations. Parmi les nations industrielles avancées, seuls les pays du Benelux dépendent plus que nous du commerce extérieur, mais ont l'avantage d'appartenir au Marché commun.

Dans l'ensemble, le Québec et le Canada ont la possibilité de négocier une zone de libre-échange avec les États-Unis. Il faudra, bien entendu, que nous arrivions à une entente formelle sur une répartition plus tendue en vue de la fabrication de produits en Amérique du Nord et que nous ayons voix au chapitre lors des négociations entre cet ensemble nord-américain, l'Europe et le Japon. En outre, des mesures transitoires d'urgence devront être négociées afin de protéger certains secteurs économiques contre une restructuration trop rapide. Sachez bien que je n'ai en poche aucun plan visant la création d'une zone de libre-échange en Amérique du Nord, mais je préconise une telle orientation comme une option vraisemblable que vous devrez considérer sérieusement.

Depuis quelques années, plusieurs groupes ont étudié les avantages et les inconvénients d'un libre-échange avec les États-Unis, entre autres MM. Paul et Ron Wonnacott, le Conseil économique du Canada en 1979, et plus récemment le Sénat canadien. Selon M. Wonnacott, le Québec et l'Ontario bénéficieraient davantage du libre-échange bilatéral avec les États-Unis étant donné leur proximité de ce marché.

Sans aucun doute, la perte de protection contre les concurrents américains obligerait un bon nombre d'entreprises québécoises et canadiennes à se soumettre à d'importantes transformations. Voilà pourquoi je souligne la nécessité de négocier des mesures transitoires pour accorder à nos entreprises le temps et l'aide nécessaires à leur restructuration, en cas de besoin. Permettez-moi de vous rappeler que le traité de Rome en vertu duquel la CEE a été créée en 1957 prévoyait une période de dix ans avant l'abolition des barrières tarifaires intracommunautaires.

Les Américains, quant à eux, pour autant qu'on puisse en juger, ne sont pas pressés de proposer un accord formel de libre-échange. Ils semblent plus enclins à fermer leurs frontières qu'à les ouvrir en dépit d'un fort courant d'opinion soutenu par la Maison-Blanche et plusieurs journaux importants favorables au libre-échange.

C'est pourquoi nous devons, à court terme, consacrer nos efforts à protéger notre capacité actuelle d'accéder au marché américain plutôt qu'à mettre de l'avant un nouveau cadre général concernant nos relations commerciales à l'intérieur de l'Amérique du Nord. Tout comme nous nous y sommes employés dans le cas du bois d'œuvre, nous devons convaincre les Américains de renoncer à leur attitude protectionniste et d'envisager plutôt la question à son mérite ainsi que les répercussions négatives qu'un protectionnisme à court terme pourrait avoir sur la santé de nos économies intimement reliées.

Puis, lorsque l'économie retrouvera de sa vigueur et que nous aurons pris le temps d'étudier les choix qui s'offrent à nous, nous pourrons proposer à court terme un nombre limité d'accords sectoriels élaborés dans le genre du Pacte automobile. Une telle orientation nous fournirait une expérience accrue dans l'intégration des marchés avec les États-Unis et nous conférerait une meilleure position pour évaluer l'option d'une zone de libre-échange intégral comme solution à long terme.

Quelle que soit la direction que nous prendrons, nous sommes conscients, au Québec, que nous devons consacrer d'importants efforts à rationaliser, à restructurer et à moderniser nos entreprises. Nous devrons nous soumettre à ces exigences si nous voulons être concurrentiels sur un marché plus vaste et plus ouvert, qu'il s'agisse d'une zone nord-américaine de libre-échange ou simplement d'un monde moins protectionniste résultant du progrès des négociations du GATT.

Le libre-échange : ni panacée ni catastrophe

Le Devoir, *articles du 27 au 31 décembre 1986.*

Il n'est pas étonnant que les négociations entre le Canada et les États-Unis au sujet du libre-échange donnent lieu à quelques tiraillements. Il est aussi plutôt normal qu'elles soient entourées de toutes sortes d'ambiguïtés et d'équivoques. En effet, ces deux économies se trouvent à être en même temps les plus imbriquées de la planète et parmi les plus traditionnellement séduites par le protectionnisme. Cela complique un peu l'approche cartésienne.

En effet, une grande partie du remous exagéré que nous connaissons vient du fait que la notion de libre-échange, pourtant soutenue et illustrée par une réalité très évoluée, heurte toujours de front un des préjugés les plus puissants de la culture continentale : le protectionnisme qui est aussi américain que la tarte aux pommes et canadien que le sirop d'érable.

D'autant plus que les démonstrations de tous ces phénomènes sont complexes, que la vérité est rarement toute du même côté et que la prophétie en économie n'est pas une opération plus fiable qu'en d'autres matières.

Les grandes économies sont comme des êtres vivants et leur réaction n'est pas facilement prévisible. Les résultats ultimes sont conditionnés par tant de facteurs divers que ce n'est pas faire montre d'imbécillité que d'être sceptique et critique vis-à-vis de telle belle théorie ou système miracle. Surtout si la nouveauté envisagée vient déranger un état de fait qui manifestement n'est pas si mauvais. C'est pour toutes ces raisons que le débat sur le libre-échange n'est ni simple ni facile, d'un côté de la frontière comme de l'autre.

Le fait que les enjeux soient relativement beaucoup plus importants pour le Canada que pour les États-Unis n'arrange évidemment pas les choses, particulièrement au niveau de l'opinion publique américaine. C'est ainsi qu'il n'est pas prévisible que le sujet déclenche des bagarres dans le métro de New York entre les protectionnistes et les libre-échangistes. Même si les voitures sont fabriquées au Québec !

Au milieu du siècle dernier et durant dix ans, les colonies britanniques du Canada et les États-Unis d'Amérique ont vécu le libre-échange commercial sous l'empire d'un large traité de réciprocité. Comme cette entente ne faisait que reconnaître les forces économiques naturelles qui favorisent les échanges Nord-Sud, elle propulsa le Haut et le Bas-Canada dans une ère de prospérité formidable, soutenue il est vrai par la guerre de Crimée et son effet sur les commandes britanniques et par la guerre de Sécession qui, en plus de gonfler la demande américaine, distrayait nos voisins de leurs préoccupations d'affaires habituelles.

Durant cette période, la croissance des tonnages exportés du port de Québec atteignit des niveaux jamais égalés depuis. L'économie du Haut-Canada s'activa elle aussi à un niveau qui aurait pu faire pressentir le Pacte de l'automobile !

Hélas ! ce traité de libre-échange, comme la plupart des documents du genre, comportait une clause crépusculaire. Elle était de dix ans. À l'échéance, les Américains ne voulurent pas renouveler l'accord. Les deux économies redevinrent protégées l'une contre l'autre. [...]

On sait que c'est à ce moment que commença l'exode massif de la population du Bas-Canada qui décida d'aller retrouver le paradis perdu de la prospérité là où elle sentait qu'il se trouvait : au Sud. C'est pourquoi il y a maintenant plus de descendants de Québécois aux États-Unis qu'il n'y en a au Québec. Leurs traces s'y retrouvent partout et notamment, bien sûr, dans les écrits de Jack Kerouac mais aussi dans ceux de John Irving.

Dès lors a commencé un formidable combat contre les forces géographiques et la nature des choses : un axe est-ouest serait maintenu par tous les moyens régaliens connus et le protectionnisme serait élevé au rang de vertu nationale, où il se trouve encore d'ailleurs pour un très grand nombre de Canadiens et d'Américains.

La réciprocité répudiée, après cet heureux interlude de dix ans, ce qu'il fallait à l'Amérique du Nord britannique, c'était un grand axe est-ouest le long duquel se bâtiraient sa singularité politique et son succès économique : Londres-Halifax-Montréal-Toronto, puis plus tard Winnipeg-Regina-Edmonton-Vancouver.

Comme des chemins de fer transcontinentaux et des voies d'accès est-ouest de toutes sortes existaient déjà aux États-Unis et comme des voies nord-sud moins coûteuses étaient déjà en place ou s'établissaient, la clé de la logique britannique du Nord résidait dans l'établissement d'un grand mur commercial pour contrer le mouvement Nord-Sud. Nous voyons donc que plus encore que chez les Américains nos fonts baptismaux étaient protectionnistes. La population est faible : nous peuplerons. Il n'y a ni chemin de fer ni canaux : nous en ferons. Mais avant tout et pour que le reste ait un sens : construisons un mur tarifaire. Rapidement résumée nous avons là la seule stratégie économique pancanadienne cohérente que ce pays ait jamais connue : la National Policy de John A. Macdonald de 1890 dont la raison profonde était la protection contre le chant des sirènes perverses de Boston, New York, Chicago et Saint-Louis [...].

Ainsi, dès son origine et non sans quelques vives remises en question épisodiques et vaines comme celle de Wilfrid Laurier en 1911, la conscience économique canadienne se forge à l'ombre du mur douanier et suivant un axe est-ouest. La chose était jugée et le préjugé installé.

Évidemment les prétentions autarciques canadiennes n'avaient pas d'assises aussi solides que celles des planteurs de coton et cueilleurs d'oranges du Sud associés aux Bostonnais et autres Yankees. Il y manquait quelques unités thermiques annuelles. Cependant, l'Empire britannique, lui, était encore plus vaste que les États-Unis et jamais « le soleil ne se couchait sur ses terres ». Donc la question d'un climat plus rigoureux et d'une population clairsemée ne devait pas poser trop de problèmes et les préférences devaient pouvoir compenser.

C'est ce qui arriva et, bien que fondé sur des bases assez évidemment contre nature, le Canada prospéra. Mis à part quelques disparités régionales dont il serait toujours temps de s'occuper, la doctrine protectionniste « livra la marchandise » ici presque aussi bien qu'au Sud. Et comme au Sud, la volonté initiale, le dessein politique, et le préjugé qu'ils fondèrent, purent s'asseoir assez solidement sur le succès. [...]

Les intérêts particuliers s'additionnèrent dans l'intérêt général et nul n'éprouva plus le besoin de remettre en question sérieusement un système qui, au contraire, porteur de succès, ne méritait que louanges. Cela dit globalement, les yeux fermés sur des disparités régionales qui sont hors de notre propos.

L'inébranlable barrière du protectionnisme

Pourquoi, dans ce grand pays décentralisé, ne décentraliserait-on pas aussi la philosophie protectionniste ? Comme aux États-Unis, de manière plus ou moins détournée, les provinces canadiennes, en toute légalité et à l'intérieur de leur juridiction, ont protégé leurs agents économiques locaux de la concurrence extraprovinciale.

Une des dernières provinces à agir ainsi, le Québec, en réaction d'ailleurs aux politiques des autres, s'est donné en 1977 une politique d'achat préférentielle.

Moins élégante et moins claire, la politique ontarienne des achats ne le cède en rien en efficacité et certains de ses aspects sont particulièrement édifiants. On sait que la société Bombardier fut écartée par cette politique d'un contrat majeur de véhicules de transport en commun en Ontario, à l'encontre de la parole donnée, de la libre concurrence et du rapport prix-qualité.

Il y a même plus raffiné. Le syndicat des travailleurs ontariens de la construction, avec l'aval des autorités provinciales, a fait inclure une curieuse clause de «fabrication syndicale» dans sa convention collective. C'est pire qu'une douane ou un contingent, c'est une interdiction locale d'importer : un embargo.

Une entreprise québécoise, Laval Spirotube, a pris récemment un contact brutal avec la frontière économique ontarienne. Cette firme qui fabrique des conduites de ventilation, la seule de sa catégorie au Canada, a obtenu, à la suite d'un appel d'offres, la fourniture pour un édifice à bureaux à Ottawa. Les poseurs ont refusé l'installation en raison de l'origine «étrangère» du produit. Ce qui prouve que le «Buy Ontario» est plus fort que le «Travailleurs du monde entier»…

Le cas de l'industrie brassicole est également bien connu et l'on sait que ce liquide, présumé profondément lié à la culture canadienne, ne coule pas librement d'une province à l'autre. Il n'y a qu'une province du Canada qui ne soit pas protectionniste en cette matière, c'est l'Île-du-Prince-Édouard.

Ces exemples, soit dit en passant, illustrent bien que l'on peut utiliser beaucoup d'autres barrières que la douane pour arrêter ou réduire la circulation d'un produit. Les provinces du Canada n'ont pas le pouvoir d'imposer des douanes ni d'entraver directement la liberté du commerce à l'intérieur du Canada. Pourtant, aux pays souverains comme aux provinces l'imagination n'a pas fait défaut quand il s'est agi d'inventer les moyens protectionnistes voulus dont la finalité officielle est d'ailleurs en général parfaitement licite, parfois louable mais toujours contraire à l'esprit du GATT et au mouvement de libéralisation.

C'est ainsi qu'au Canada – à Ottawa comme dans les provinces – l'«Achat chez nous» fut élevé, lui aussi, au rang de vertu nationale et que notre conscience protectionniste s'est formée et érigée en bonne conscience au fil des ans.

De ce point de vue l'économie ressemble à la religion, et tenter de changer le dogme et la théologie reste toujours une opération scabreuse.

C'est pourquoi quitter les sentiers du protectionnisme ne sera pas facile ni pour les Américains ni pour les Canadiens.

Les États-Unis d'Amérique sont nés d'un soubresaut anticolonial violent et d'un désir d'affranchissement qui déjà mettait en cause la douane et donnait dès le départ une base de conviction isolationniste et protectionniste qui a subsisté sous une forme ou une autre jusqu'à nos jours. Il est rare qu'un simple préjugé par ailleurs se porte si bien pendant si longtemps. Pour se maintenir il doit « livrer la marchandise », se consolider par le succès et recevoir la consécration définitive par la force de son efficacité. C'est exactement ce qui s'est produit dans l'histoire américaine, et d'une façon plus éclatante qu'à aucun autre moment de l'histoire de l'humanité.

La population américaine dépassait déjà les 40 millions d'habitants en 1870. En 1910, ils étaient déjà quatre fois plus nombreux que les Canadiens d'aujourd'hui. Les deux situations ne sont d'ailleurs pas totalement sans rapport puisque pratiquement la moitié des Canadiens français du temps considérèrent que l'avenir était là et partirent au Sud.

Les Américains d'hier, qui avaient tout ce qu'il faut chez eux, pouvaient aller au-delà de la constatation de Jean Talon, intendant de la Nouvelle-France, qui écrivait au roi : « J'ai ici de quoi m'habiller des pieds à la tête. » Eux, ils pouvaient dire plus simplement : « Nous avons ici tout ce qu'il nous faut. » Et en plus ils n'avaient pas de roi !

Ainsi donc tout concourait – les données de base d'une grande économie, son succès, ses idéologies politico-économiques, certaines théories même – pour constituer le creuset idéal d'une des mentalités protectionnistes les mieux ancrées et fondées de toute la planète.

Cette mentalité, on le voit, aura la vie dure. Encore aujourd'hui les Américains ne sont pas devenus, toutes pro-

portions gardées, une grande nation commerçante et la con-
templation autarcique n'est jamais loin sous la surface, surtout pour ceux qui ont des intérêts de firmes ou de secteurs à
protéger.

Encore aujourd'hui le pourcentage du produit américain
exporté est inférieur à 10 %, comparé aux 22 % de la République fédérale d'Allemagne, aux 51 % de la Belgique et aux
23 % du Canada. Le Québec pour sa part expédie 40 % de sa
production à l'extérieur de ses frontières.

Par ailleurs, il va sans dire qu'en chiffres absolus les
Américains sont les plus grands vendeurs du monde. Les plus
grands acheteurs aussi.

Quand les barrières tombent, de nombreux industriels
américains n'ont de cesse de les rétablir sous une forme ou
une autre. Dans le pays d'origine des lobbies, il ne faut pas
s'étonner si les menées protectionnistes sont souvent cou-
ronnées de succès. En particulier la législation américaine du
Trade Act constitue un redoutable appareillage juridique sur
lequel les protectionnistes peuvent s'appuyer solidement. La
médecine qui nous fut servie dans l'affaire du bois d'œuvre
nous en offre une modeste illustration.

Même si la chose apparaît à plusieurs comme un paradoxe absolu, l'actuel président des États-Unis s'est comporté
en progressiste courageux et visionnaire en menant depuis le
début de son premier mandat une vigoureuse bataille contre
le protectionnisme. Ceux qui trouvent les ultimes raisons de
leur déchaînement anti-Reagan dans l'incident du bardeau
de cèdre et du bois d'œuvre en général le traiteraient avec
plus d'aménité et d'équité s'ils savaient que c'est largement
grâce à lui et à son administration que nos malheurs ont été
limités à ces produits au cours des dernières années.

Même *lame duck*, le président et ses ministres ont combattu tant qu'ils ont pu tout un musée des horreurs protectionnistes – plus de trois cents mesures – qui auraient pu et
pourraient toujours faire paraître, en comparaison, l'affaire
du bois d'œuvre comme dérisoirement secondaire. Malgré
des avis clairs de l'administration révélant qu'il s'apprêtait à

violer les accords du GATT, le Congrès, pas encore démocrate à ce moment, a quand même légiféré. Qu'est-ce que ce sera maintenant que les démocrates viennent d'y élargir leurs assises ?

En résumé, c'est déjà beau d'avoir passé toute cette période sans plus de dommages et d'avoir pu ouvrir, en cette ère de dollar US fort, des négociations de libre-échange avec une des nations les plus traditionnellement protectionnistes qui soit.

D'autant plus que, en regardant croître au cours des dernières années l'excédent commercial du Canada avec leur propre pays, les protectionnistes américains ont pu trouver dans la réalité quelques fondements factuels et chiffrés pour asseoir leurs récriminations même au-delà de leur batterie de préjugés. En vérité, c'est une véritable invasion canadienne qui a déferlé sur leur marché.

Cette formidable poussée s'explique de plusieurs manières. D'abord, il est certain qu'il s'est produit ici un réveil des entrepreneurs à l'impérieuse nécessité d'exporter, et d'exporter autre chose que des matières premières non transformées.

En même temps que des taux de chômage élevés et la crainte de la médiocrisation faisaient surgir un nouveau dynamisme exportateur, une conjoncture monétaire favorable rendait possibles, et même faciles, des succès commerciaux presque instantanés. Le simple effondrement du dollar canadien, phénomène pour lequel nous n'avons évidemment aucun mérite et dont nous ne pouvons tirer aucune gloire, a rendu nos prix soudainement très concurrentiels et nous a permis de vendre à des endroits où nous étions déclassés ou de vendre davantage là où nous vendions déjà.

Dans plusieurs secteurs, les exportateurs canadiens s'assurent d'une proportion non seulement notable, mais parfois outrancièrement voyante du marché américain. Il est sûr que, lorsque l'on touche 30 %, et même pas mal moins, d'approvisionnement canadien du marché américain d'un produit, la chose ne passe pas inaperçue et ne manque pas de déranger – c'est le moins qu'on puisse dire – les producteurs locaux.

Il n'est pas douteux que, sur le plan de certains secteurs et certaines régions, sans égard aux avantages macro-économiques qu'ont pu en retirer les États-Unis, des travailleurs américains ont été mis au chômage par des importations canadiennes et de nombreuses firmes placées sur la défensive.

Ces travailleurs et les actionnaires de ces firmes élisent des sénateurs et des représentants au Congrès comme tout le monde et en plus, dans la plupart des cas, ils sont regroupés dans de puissants lobbies capables d'actions efficaces aussi bien sur le plan politique que sur le plan juridique.

Ce n'est pas en toute cohérence que certains milieux d'affaires américains regardaient bêtement le dollar s'élever en montgolfière, qu'ils en tiraient même gloire et simultanément criaient pour obtenir des protections artificielles contre la production de pays à devises moins fortes. « Vive le dollar puissant qui donne un fort pouvoir libérateur et d'achat à l'étranger mais, du même souffle, à bas les importations ! »

Deux pays faits pour aller ensemble

Le bonhomme La Fontaine, reprenant l'antique croyance voulant que les bouts coupés d'un serpent ont la capacité de se remettre ensemble, a écrit quelque part que « l'insecte sautillant cherche à se réunir ». On dirait que c'est très exactement ce que firent, peu à peu et de diverses manières, les deux espaces économiques séparés par la volonté politique et l'histoire mais fondamentalement faits pour aller ensemble.

Il est clair aujourd'hui que c'est la nature qui l'a emporté. Il n'y a pas dans le monde deux pays aussi économiquement intégrés que les États-Unis et le Canada.

La circulation des capitaux

D'abord, les capitaux circulent avec une liberté presque totale de part et d'autre de la frontière, et la seule formalité à accomplir est pratiquement la conversion d'une devise à l'autre. Dans les périodes où les parités étaient identiques, on aurait pu croire à une monnaie commune ! Même en période d'écart de valeur, l'évolution monétaire continentale face au pays tiers se fait dans le même sens. C'est ainsi que, tout en s'abaissant par rapport à la devise américaine, le dollar canadien a été traîné par elle vers le haut par rapport à la plupart des autres monnaies.

Les mouvements monétaires de court terme sont également libres, et les particuliers comme les investisseurs institutionnels ne se privent pas de jouer sur les deux tableaux ou de menacer de le faire, ce qui revient au même face à l'autonomie monétaire canadienne.

Quant aux investissements à plus long terme, sous forme de prêt ou de participation aux entreprises, en général leur mouvement fut et reste largement incompressible.

Partant d'un bon naturel nationaliste canadien, des velléités ou des gestes de limitation de cette liberté de circulation de l'argent ne résistèrent pas aux énormes forces objectives en présence. Ni rien ni personne n'empêchera Hydro-Québec d'utiliser l'investissement massif quoique indirect des Américains pour faire face à ses besoins d'investissement. Les pétroliers de l'Ouest en sont venus à la même conclusion après un interlude protectionniste d'ailleurs concocté par des *Easterners* politiquement abhorrés.

Évidemment les résultats d'un tel libéralisme avec un tel voisin ne surprendront personne : 60 % de l'industrie du Canada est contrôlée par les Américains et ce chiffre n'inclut pas l'argent qu'ils nous ont simplement prêté. Seul le Québec, également terre d'accueil de beaucoup d'argent américain, a réussi à échapper à une domination trop prononcée.

De même les technologies des deux pays sont largement en situation de vases communicants. D'abord parce que les compagnies multinationales diffusent dans l'ensemble de leurs réseaux les techniques de gestion aussi bien que de fabrication pratiquement sans égard au fait que l'usine soit dans un pays ou l'autre. La pratique de confier des « mandats mondiaux » à l'une ou l'autre filiale est également l'occasion d'une circulation sans entraves des informations technologiques de la maison mère à la filiale et vice versa. Il n'est pas rare que de tels « mandats mondiaux » s'étendent de la planche à dessin jusqu'au service après-vente. Il va de soi dans ces conditions que le bassin technologique est rigoureusement mis en commun afin de permettre au centre de profit local d'atteindre au mieux ses objectifs pour contribuer davantage aux profits consolidés.

Les accords de fabrication sous licence sont également pratiqués sur une haute échelle de sorte que l'on peut dire qu'en fait les deux marchés, tant pour les produits de consommation que pour les biens d'équipement et les machines-outils, sont toujours et instantanément tenus au même niveau technologique, absolument comme des vases communicants.

De plus, sans qu'existe formellement la libre circulation des personnes, le flot des échanges de personnes entre le Canada et les États-Unis n'a d'équivalent nulle part au monde. Cela pour ne rien dire de l'énorme somme d'information audiovisuelle homogène qui circule librement dans tous les foyers du continent. Et même si la frontière existe pour les personnes, il y a eu au cours des années des transferts massifs de personnes entre les deux pays.

On dit aussi qu'un certain nombre des immigrants venus consolider le peuplement du Canada l'ont fait par second choix lorsque les quotas pratiqués par la République étaient remplis et forçaient les débordements vers le Dominion. [...]

La circulation des biens et services est régie par des règles à peine différentes. Sous la double poussée des forces naturelles et de l'action du GATT, plus des trois quarts des biens et services échangés ne font l'objet d'aucune barrière douanière. Quant à ce qui reste taxé, les droits sont, pour la presque totalité des produits, très inférieurs à l'écart entre notre devise et le dollar américain.

En effet, le tarif américain, à l'encontre de la plupart de nos expéditions, se situe dans une fourchette de 3 % à 8 %.

Il atteint 20 % pour la pétrochimie, le contreplaqué, les alliages métalliques et le textile. À noter que même à ce niveau il n'a pas encore annulé l'avantage de notre décote monétaire qui est d'environ 30 %. Nous jouissons encore d'un avantage d'environ 10 %, toutes douanes acquittées.

Nos propres douanes apposables aux Américains ne sont pas tellement plus redoutables, ce qui fait que les deux tiers des produits que nous leur achetons nous parviennent francs de droits. Le reste est frappé d'une barrière qui va de 9 % à 15 %. Les industries plus traditionnelles en général peuvent être protégées à hauteur de 25 %.

Par conséquent, en matière de douanes du moins, le chemin qui reste à faire est beaucoup moins long que celui qui a été fait et, si l'abaissement de ce type de frontière avait dû engendrer des catastrophes, nous les aurions déjà vécues, cela semble évident.

De la même manière, les dividendes de l'abaissement des barrières douanières ont déjà été largement encaissés, et ils expliquent en partie notre prospérité du dernier quart de siècle et l'élévation presque constante de notre niveau de vie.

Pour les emplois en particulier, les seules entreprises qui ont pratiquement continué d'en créer durant la dure récession de l'année 1981 sont celles qui ont agrandi leur marché américain.

Il faut donc déjà écarter – ou presque – la dimension purement douanière du débat. Cette bataille est déjà derrière nous, les esprits chagrins auraient dû la mener en 1965 et en 1977 à Genève au GATT. Il faut reconnaître d'ailleurs que certains l'ont fait, et généralement ils ne souhaitent pas tellement qu'on le leur rappelle puisqu'ils ont été les premiers à profiter des avantages de la libéralisation. Leur témoignage pourrait du reste être très précieux durant le présent débat. Quel industriel voudrait maintenant renoncer à ce que lui ont donné comme expansion les 50 % d'abattement tarifaire décidés au Kennedy Round ?

Malgré le bruit et parfois la fureur qui ponctuent les discussions bilatérales entre les États-Unis et le Canada sur l'aménagement de leurs relations commerciales, il est parfaitement clair qu'un éventuel accord de libre-échange ne saurait en aucun cas être un remède à tous nos maux, pas plus d'ailleurs que quelque grandiose catastrophe.

Le discours extrême dans un sens comme dans l'autre ne saurait donc tenir. En raison du haut niveau d'intégration déjà réalisé, les effets du libre-échange sont déjà partiellement escomptés et notre présent état de prospérité est largement attribuable à la grande fluidité économique continentale. Le même raisonnement inversé vaut pour les inconvénients.

Dans ces conditions, pourquoi le succès de la présente négociation reste-t-il si important et beaucoup plus important du reste pour le Canada que pour les États-Unis ? D'où vient ce pressant besoin d'agir et pour quels nouveaux bénéfices si on les a déjà presque tous escomptés ? Ces deux questions sont parfaitement pertinentes. D'une part, l'aspect douanier des choses n'est qu'une facette d'une frontière économique. D'autre part – l'actualité ne nous le rappelle que trop –, certains chenaux, comme le bois d'œuvre, aujourd'hui ouverts, s'ensablent rapidement. En d'autres termes, faute d'être consignée et consolidée dans un accord spécifique, la fluidité présente est précaire. Il est pourtant clair que cette fluidité nous est nécessaire. Le Conseil économique du Canada nous prévient qu'un retour de flamme protectionniste américaine, généralisée à hauteur de 20 %, nous coûterait un demi-million d'emplois d'ici 1995.

Il y a donc encore beaucoup à débattre et à négocier. Paradoxalement ce n'est peut-être pas tellement du fond des choses que viennent les présents soubresauts : les préjugés ont plus à voir dans la tournure du débat que l'examen minutieux des dossiers.

Les grandes motivations

Malgré le chemin d'intégration et de fluidité parcouru en pratique par les deux économies, la création d'une zone de

libre-échange reste un enjeu majeur pour l'économie canadienne. Cela pour une grande raison de fond que l'on pourrait résumer globalement en une phrase : le jeu économique
mondial est devenu très serré. Il le sera encore plus dans
l'avenir, et ceux qui ne mettront pas toutes les chances de
leur côté risquent de perdre des positions dont ils se
croyaient indélogeables.

En effet, il n'y a plus et il n'y aura plus de prééminence
durable et de «droit divin». Les niveaux de vie se méritent
et se mériteront. C'est dans cette optique que l'économie
canadienne, qui a largement fondé sa grande prospérité sur
les richesses naturelles, la « vente des bijoux de famille » pour
reprendre l'expression de Laurent Picard, doit maintenant
trouver le «supplément d'âme» que seule la conscience de
travailler sur un très grand marché peut lui apporter.

Les décideurs économiques canadiens et québécois
n'ont pas attendu que les modèles économétriques se parlent
pour comprendre cela. Voyez où sont les projets d'expansion
des grandes entreprises canadiennes et même des moyennes
et de certaines petites. Les entrepreneurs étouffent dans leurs
frontières économiques [...]. Dans ces conditions rien ne leur
fera passer le goût d'aller ailleurs, sauf de leur garantir à partir d'ici les vastes clientèles requises. C'est à cela précisément
que serviront et ont servi les zones de libre-échange et les
marchés communs.

L'étude la plus complète et la plus articulée des effets du
libre-échange entre le Canada et les États-Unis a été réalisée
à l'aide du modèle monté par Cox et Harris. C'est une des
seules études vraiment dynamiques et qui prend en compte
un aussi grand nombre de facteurs.

Malgré ses limites communes à toutes les simulations de
l'économie, les résultats Cox-Harris sont proprement specta-
culaires : 9 % de hausse du PNB canadien, 28 % de progression des salaires. On dit que ces chiffres auraient particulièrement influencé les membres de la commission Macdonald.

Le Conseil économique du Canada, qui n'est pas censé
exister pour contrer le développement économique ni ruiner

le Canada, prévoit pour sa part la création de 376 000 emplois d'ici 1995 comme fruit de l'entente de libre-échange.

Au contraire, selon la même source, une guerre commerciale avec les États-Unis, dont quelques coups de semonce ont été tirés des deux côtés, pourrait coûter 528 000 emplois au Canada durant la même période.

Par ailleurs, les mises en garde du professeur Pierre-Paul Proulx qui a recensé plusieurs études positives et négatives sont fort pertinentes. Bien qu'ayant colligé moi-même diverses études contradictoires et malgré le fait que j'aie l'assurance que les études les plus profondes soient aussi les plus positives, je suis le premier à admettre qu'il est vain de demander aux études ce qu'un jury d'assises exige du ministère public : une preuve hors de tout doute. Le choix à faire doit être plus raisonné que calculé en un sens, car cette voie est plus facile à suivre pour le personnel politique et la population en général. Les modèles économétriques sont plus difficiles à utiliser que le sens commun et conjuguent moins bien les ressources instinctives, plus démocratiquement répandues, que le savoir mathématique. Les analyses savantes ne doivent pas être écartées, cela va de soi, mais elles ne peuvent remplacer dans ce type de décision de nature politique le rôle que doit jouer l'adhésion à une certaine vision des choses.

Toute la problématique et l'argumentation libre-échangiste peuvent se résumer dans les propositions qui suivent :

1. *Une grande motivation positive*
Le Canada est le seul pays industrialisé important à ne pas disposer d'un marché à accès garanti, propre ou par association, de plus de cent millions d'habitants. Ceci entrave lourdement sa capacité de concurrencer, pour les productions les plus complexes en particulier.

2. *Une grande motivation défensive*
Les États-Unis, affligés d'un lancinant problème d'équilibre commercial, se retournent vers un protectionnisme historique dont le tir, direct ou oblique, ne peut pas ne pas atteindre leur principal partenaire commercial.

Le Canada doit avoir un statut spécial sous peine, c'est évident, de souffrir beaucoup plus que les autres.

3. *Une grande motivation juridique*
Malgré une imbrication économique sans égale, le Canada et les États-Unis ne disposent pas d'un mécanisme spécifique de résolution des conflits. Cela donne lieu le plus souvent à un unilatéralisme aussi dangereux pour l'équité que choquant pour le pays souverain qu'est le Canada. Le volume exceptionnel des échanges et les multiples occasions de discorde qui en découlent requièrent la création d'une telle instance bilatérale apte à sauvegarder la dignité du Canada et l'harmonie des rapports.

4. *Trois grandes craintes à conjurer*
La souveraineté politique, l'identité culturelle, la spécificité des politiques sociales doivent déjà être défendues avec vigilance même dans la situation présente où leur érosion est perceptible à des degrés divers. Le *statu quo* et les pressions insidieuses qu'il permet doivent être plus à craindre qu'un accord clair qui reconnaîtrait les différences. Un traité de libre-échange aura le double mérite de préciser les positions et de mettre une économie plus forte au service d'une meilleure défense de l'identité. Du reste, aucun traité de libre-échange connu n'a conduit à un affaiblissement de souveraineté. Même un marché commun n'y arrive pas tout à fait.

5. *Quelques questions sectorielles*
Il n'est pas fatal que l'on doive tout arrêter pour quelques secteurs dont la problématique est plus complexe. L'agriculture en est le meilleur exemple. Il vaut mieux faire une exclusion ou l'autre que faire avorter l'ensemble. Les industries culturelles pourraient avoir le même traitement et la défense culturelle être clairement légitimée.

6. *Quelques précautions usuelles*
Les périodes transitoires, les clauses de sauvegarde et résolutoires et d'autres mécanismes connus et éprouvés sont de nature à calmer même les plus justifiées des craintes raisonnables. Le tout peut se faire sans douleur aucune à condition que l'on adopte le bon échéancier.

Une fois bien comprises ces propositions simples […], on peut dire sans risque d'erreur que l'on possède la plupart des éléments d'argumentation favorables à l'établissement d'une zone de libre-échange entre le Canada et les États-Unis et la réponse à nombre d'objections.

Pour la suite il faut choisir, et c'est à l'étude de ces quelques réalités facilement intelligibles que j'ai moi-même, je le redis, choisi avec enthousiasme l'hypothèse favorable. […]

GATT et ALENA :
un simple changement de statut
pour le Québec après l'indépendance

La Presse, *le 2 février 1995.*

Monsieur Philippe Dubuisson,

J'ai lu avec intérêt votre article publié dans *La Presse* du 7 janvier intitulé « Le Québec dans le GATT et l'ALENA : bien sûr, mais à quelles conditions ? » Plusieurs aspects dont vous traitez méritent des précisions et des clarifications.

Le Québec profite déjà des avantages que procurent les accords commerciaux internationaux et il est aussi tenu d'en respecter les obligations. C'est d'ailleurs pourquoi le gouvernement a présenté un projet de loi concernant la mise en œuvre des accords de commerce international dans les domaines de compétence du Québec.

Le Québec s'est prévalu au maximum des mécanismes lui permettant de participer en tant qu'État fédéré aux négociations commerciales internationales. Je ne crois pas que le Québec doive négocier sa participation à l'ALENA puisqu'il est déjà couvert par cet Accord. Les règles d'accession prévues par l'ALENA qui s'appliqueront au Chili, à titre d'exemple, ne pourraient pas servir de cadre de référence dans le cas québécois. La voie qui s'offre au Québec est plutôt celle de la succession d'États conformément à la pratique et au droit international dont la convention de Vienne sur la succession d'États en matière de traités.

Bien sûr, des aménagements devront être prévus dans les domaines précis où les obligations d'un État fédéré sont moindres que celles du gouvernement fédéral du pays signataire. Votre référence aux marchés publics du gouvernement du Québec constitue d'ailleurs un bon exemple d'un domaine où un Québec souverain pourrait vraisemblablement prendre des engagements additionnels à ceux actuels d'un État fédéré. Il faut aussi garder à l'esprit que, déjà, l'ALENA prévoit la négociation de l'élargissement éventuel des dispositions en matière de marchés publics aux provinces et aux États. Il en est de même dans le cadre de l'Accord sur les marchés publics négocié en marge de l'Uruguay Round. Que ce soit comme État souverain ou comme province, le Québec doit déjà s'interroger sur l'opportunité d'ouvrir à la concurrence internationale une plus grande part de ses marchés publics.

Des aménagements devront également être apportés pour ce qui est des quotas à tarif préférentiel de produits textiles et de vêtements qui ne respectent pas les règles de contenu nord-américain. Certaines questions reliées à la répartition de ces quotas devront faire l'objet de discussions entre le Québec et le Canada et éventuellement les autres parties, selon la nature et le bénéficiaire des quotas. Des aménagements seraient aussi nécessaires dans le Pacte automobile ainsi qu'aux quotas à l'importation de produits agricoles soumis à la gestion de l'offre.

Vous affirmez aussi que « les États-Unis chercheraient vraisemblablement à mettre fin à la pratique des subventions sous la forme de tarifs d'électricité ». Or, à cet égard, les États-Unis ont déjà examiné les tarifs d'électricité d'Hydro-Québec dans le cadre du différend sur le magnésium mettant en cause les exportations de Norsk Hydro aux États-Unis. Le département du Commerce des États-Unis a lui-même conclu dans le cadre d'une procédure exceptionnelle que le contrat actuel d'électricité entre Hydro-Québec et Norsk Hydro ne conférait aucune subvention.

En outre, la façon dont les gouvernements interviennent dans l'économie a déjà fait l'objet de discussions lors des négociations antérieures de l'ALE et de l'ALENA, et il n'y a donc pas lieu d'y revenir dans le cadre de l'adhésion du Québec à l'ALENA en tant qu'État souverain plutôt qu'État fédéré comme c'est le cas actuellement.

En ce qui concerne les institutions financières, vous soulignez, à juste titre, que les obligations concernant le traitement à accorder aux résidants américains, et j'ajouterais aux résidants mexicains, au chapitre des restrictions qui limitent la propriété étrangère dans les institutions de compétence fédérale, ne sont pas les mêmes pour les institutions de compétence provinciale, le Québec pouvant exempter ses restrictions sur les institutions relevant de sa compétence des obligations de l'ALENA par le biais d'inscriptions de réserve. Cette technique d'exemption sera encore disponible pour un Québec souverain, sans que ce soit nécessairement l'option qui sera retenue. Vous touchez là un problème plus vaste que celui de l'ALENA, soit la façon de réglementer l'ensemble des institutions financières agissant au Québec advenant sa souveraineté.

En conclusion, dans un contexte de mondialisation des échanges, que ce soit en tant qu'État souverain ou en tant que province, le Québec, comme les autres États, accepte que les accords internationaux viennent baliser sa marge de manœuvre pour intervenir dans l'économie. Le Québec profite des avantages d'un système commercial international ouvert et il doit aussi en accepter les obligations qui vont de pair. J'ajouterai aussi que, sans l'appui du Québec aux Accords de libre-échange, ceux-ci n'auraient sans doute jamais été conclus, étant donné l'opposition dont ils faisaient l'objet dans d'autres parties du Canada.

ALENA : des intérêts communs
pour un Québec indépendant et le Canada

La Presse, *le 10 octobre 1996*.

Monsieur Picher,

Vous ne serez pas surpris d'apprendre, connaissant mes convictions libre-échangistes, que votre chronique du 28 septembre dernier sur «Le Québec et l'ALENA» m'a vivement intéressé. Permettez-moi d'évoquer ici certaines considérations qui, je crois, sont de nature à clarifier les termes de ce débat.

D'abord, un fait historique et incontournable : sans le Québec, il n'y aurait pas eu l'Accord de libre-échange entre le Canada et les États-Unis. L'initiative de M. Mulroney a trouvé son terreau le plus fertile au Québec, et ce, sans distinction de parti politique. Depuis le milieu des années quatre-vingt, les sondages l'ont toujours démontré. Comme l'ALENA ne se serait jamais conclu s'il n'avait été précédé de l'accord bilatéral, plusieurs affirment que, sans le Québec, l'intégration économique continentale ne serait même pas commencée.

Deuxième fait, économique celui-là, et tout aussi important : le Québec, et surtout les entreprises du Québec ont déjà payé leur part du ticket d'entrée dans la zone de libre-échange nord-américaine en s'adaptant à la concurrence des autres pays de la zone sur leur propre marché. Les entreprises du Québec ont relevé vigoureusement ce défi et elles sont maintenant plus concurrentielles que jamais.

Ma troisième considération relève du droit international et du calcul des intérêts nationaux qui président, dans des proportions variables, à la solution d'une question comme celle de la succession du Québec à l'ALENA, advenant la souveraineté. Au-delà de la vindicte prévisible d'une certaine presse anglo-canadienne, qui aurait certainement des échos au sud de la frontière en cas de référendum positif, la question économique fondamentale qui se pose à nos partenaires étrangers devant l'éventualité de la souveraineté du Québec, c'est la suivante : dans quelle mesure l'accès au marché de ce qui a été jusqu'ici le Canada est-il affecté par l'apparition de deux États souverains, le Québec et le reste du Canada ? La réponse à cette question se trouve en bonne partie dans l'essence même du nationalisme québécois : pas question de se replier sur soi ou d'ériger des barrières entre le Québec et le reste du monde, bien au contraire. Il s'agit plutôt de changer nos rapports avec nos partenaires canadiens, de les placer sur une base plus saine et plus solide : celle de rapports égalitaires entre deux peuples libres, qui partagent un certain nombre de choses pour mieux prospérer.

Si le Québec et le Canada, comme c'est ma conviction profonde, conviennent de maintenir une union économique très large après un vote majoritaire sur la souveraineté du Québec, l'appétit de nos partenaires américains pour une révision en profondeur des dispositions de l'ALENA fondra comme neige au soleil, parce que sans objet.

Si, par contre, au détriment de leurs propres intérêts, les Canadiens insistaient pour affaiblir sensiblement l'union économique, alors nos partenaires étrangers pourraient y chercher prétexte à exiger des concessions additionnelles du Québec et du Canada, en alléguant qu'ils n'auraient plus affaire à un seul, mais à deux marchés comportant chacun ses propres contraintes.

Rien cependant ne permet de supposer qu'un marché spécifiquement québécois serait sensiblement moins accessible que le marché canadien dont il fait actuellement partie. Dans un cas comme dans l'autre, je ne crois pas que nous soyons à la merci du reste du Canada dans les négociations qui suivront un vote positif au prochain référendum, et ce, au moins pour deux raisons.

D'une part, les intérêts canadiens en faveur du maintien des liens économiques entre un Québec souverain et le reste du Canada, et notamment avec nos voisins immédiats en Ontario, sont considérables : les dernières statistiques du commerce interprovincial font état d'un surplus commercial de l'ordre de 3 milliards de dollars en faveur de l'Ontario dans ses échanges avec le Québec.

D'autre part, le cadre multilatéral des échanges commerciaux s'est considérablement renforcé avec la conclusion de l'Uruguay Round et la transformation du GATT en Organisation mondiale du commerce, en 1995. Souvenons-nous que c'est l'importance des échanges commerciaux avec les États-Unis, la montée du protectionnisme et la faiblesse du système multilatéral d'alors qui ont incité le Canada à négocier une entente de libre-échange avec son voisin. Dix ans plus tard, le commerce canado-américain est plus important que jamais, mais le système multilatéral a changé considérablement, notamment sur un point crucial, celui du règlement des différends. Ces nouveaux mécanismes subissent actuellement leurs premiers tests, et il est encore trop tôt pour porter un jugement définitif quant à leur efficacité. Mais on peut déjà affirmer qu'ils sont au moins aussi prometteurs, sinon plus, que ceux de l'Accord de libre-échange ne l'étaient à l'origine.

L'environnement global des échanges commerciaux internationaux s'est donc beaucoup amélioré, depuis l'époque encore récente où le Canada a voulu établir un lien privilégié d'abord avec les États-Unis, puis avec le Mexique. Le Québec souverain aura d'autant plus de facilité à jouer la carte multilatérale quels que soient, par ailleurs, ses liens économiques avec ses partenaires canadiens.

Quant aux États-Unis, qui sont le membre dominant de toute l'équation, je n'aurai pas la présomption d'indiquer à leur place où se situerait leur intérêt national dans l'éventualité d'un passage démocratique à la souveraineté du Québec. Mais, qu'ils soient au nombre de trois ou de quatre, tous les pays du continent nord-américain ont, de toute évidence, intérêt à maintenir la stabilité et la continuité des marchés, quels que soient les éventuels changements de contexte politique.

Faudra-t-il « négocier âprement » comme vous le dites pour conserver notre place au sein de l'ALENA ? On peut faire plusieurs hypothèses et discourir longuement à ce sujet. Une chose est certaine, le Québec est déjà dans l'ALENA comme État fédéré, et il doit déjà en respecter la plupart des dispositions. Comme vous le savez, les obligations des provinces et des États sont différentes à certains égards de celles des gouvernements fédéraux des trois pays. Les négociations sur la participation d'un Québec souverain à l'ALENA devront essentiellement porter sur la façon d'amener ces droits et ces obligations au même niveau que ceux des signataires actuels. On ne pourra pas empêcher des groupes d'intérêt de faire pression pour que diverses questions non résolues dans l'accord existant soient sur la table, et on verra alors s'il est dans l'intérêt des parties d'y donner suite.

Mais des pressions de ce genre s'exercent de toute façon sur les accords internationaux, qui sont, par nature, perfectibles. Comme vous le savez, plusieurs comités et groupes de travail s'affairent déjà à améliorer et développer l'ALENA, en vue notamment d'élaborer des règles et disciplines plus efficaces sur l'utilisation des subventions gouvernementales. Un Québec souverain, partie à l'ALENA, se fera un devoir de collaborer avec ses partenaires sur ce point comme sur les autres.

En définitive, l'issue favorable et rapide de négociations sur la participation d'un Québec souverain à l'ALENA ne fait pas de doute, et l'intérêt bien compris du Canada milite en faveur d'une solution qui nous éviterait à tous les deux, Québec et Canada, de faire de nouvelles concessions commerciales aux autres parties.

De l'intégration économique
à l'intégration monétaire?

Le Devoir, *le 18 avril 2000.*

Il aura fallu l'horreur de deux guerres mondiales pour qu'advienne une modification radicale des rapports économiques entre les peuples d'Europe et, par la suite, du monde entier. Pourtant, depuis le XVIIIᵉ siècle, les thèses d'Adam Smith, de Ricardo et de leurs successeurs soutenaient que la prospérité des peuples passait par leur coopération mutuelle, leur spécialisation et la libre circulation des biens, des services, des capitaux et même des personnes. C'est l'essence même du traité de Rome de 1957 qui a conduit à l'intégration européenne même jusqu'à une monnaie commune. Suivant l'exemple européen, toute la philosophie mondiale du commerce a changé, et ce qu'on a appelé la globalisation des marchés s'est enclenchée de façon irréversible. Du GATT à l'OMC, le commerce international a connu des résultats absolument prodigieux.

Cette intégration planétaire a fini par rejoindre notre continent qui avait été, jusqu'à ce jour, en apparence en tout cas, plus conservateur. L'Amérique du Nord, dominée par la plus grande puissance de l'histoire contemporaine, n'avait pas ressenti le besoin, au cours des récentes années, d'adhérer aux politiques et aux visions européennes.

Ce retard est en partie comblé aujourd'hui. Nous avons maintenant un espace économique intégré qui le sera de plus en plus avec les projets d'expansion de la zone des Amériques.

Cet espace va actuellement de la rivière La Grande aux deux rives du Rio Grande et devrait s'étendre un jour du cercle polaire à la Terre de Feu.

Dès le début de ces grandes opérations d'intégration, il était prévisible qu'il faudrait, tôt ou tard, modifier notre attitude en regard des monnaies nationales, des unités de compte et des véhicules monétaires qui serviraient à soutenir ce vaste commerce.

En effet, à quoi sert-il d'abolir toutes les barrières formelles et informelles si on laisse subsister une de celles qui peut avoir l'action la plus puissante ? La monnaie peut toujours, en effet, faire l'objet de manipulation à des fins protectionnistes et perpétuer les inconvénients liés aux barrières déjà levées.

Cette constatation théorique aurait pu être faite depuis le début. Mais très rapidement des constatations pratiques, liées à la déficience du système monétaire international, sont venues confirmer ces appréhensions. Elles ont pris la forme de crises graves, comme celles du système monétaire européen en 1993, du peso mexicain en 1994 et 1995, du yen en Asie en 1997, celle du rouble, plus récente de l'été 1998, et la crise, pour ne pas dire les crises brésiliennes qui, ensemble, ont anéanti pour des centaines de milliards de dollars de richesse. Ces crises, lorsqu'elles se produisent, secouent les assises de l'économie mondiale. Il est devenu de plus en plus difficile, même pour les autorités monétaires nationales, d'influencer efficacement le taux de change de leur propre monnaie.

En effet, on assiste à l'érosion du contrôle de ces autorités et ce, pour des raisons presque mathématiques. Prenons l'exemple du Canada. La Banque du Canada possédait à la mi-mars environ 30 milliards de dollars des réserves internationales, à peine 75 % des opérations quotidiennes de change au Canada. À l'échelle mondiale, c'est approximativement le même ratio, avec des réserves qui correspondent à 80 % des échanges en devises chaque jour.

À chaque crise internationale, le dollar canadien a été malmené et la Banque du Canada a augmenté les taux d'intérêt qui se sont traduits par des coûts économiques parfois catastrophiques. Des mouvements de cette ampleur, difficiles à prédire et presque impossibles à contrer, font qu'il est temps de réfléchir en profondeur aux conséquences de l'instabilité monétaire et aux inconvénients du dollar faible.

Passons rapidement en revue les principales conséquences et les plus facilement décelables. D'abord la faiblesse d'une unité de compte encourage les producteurs nationaux à la paresse, et c'est un danger qui nous menace actuellement.

Les progressions des ventes aux États-Unis, pour le Québec, sont de 15 % ou 17 % par année. Ce sont des années fastes. Cependant, plusieurs producteurs confessent, avec angoisse et sans gêne, qu'à parité monétaire ou à redressement monétaire le moindrement important, nous aurions de graves difficultés à faire face à la concurrence étasunienne et du reste du monde.

La monnaie faible nuit aussi à l'investissement, car le Québec comme le Canada sont de grands importateurs de machinerie industrielle coûteuse. Les coûts d'investissement dans les secteurs les plus dynamiques sont ainsi rehaussés par la faiblesse de la devise. Un dollar faible rend nos entreprises plus vulnérables aux prises de contrôle. On le voit toutes les semaines, au Canada comme au Québec, les Américains sont capables de se payer nos entreprises à des prix d'aubaine.

La monnaie faible nuit aussi à la productivité. Des chiffres de plus en plus inquiétants nous montrent que, tant pour le Canada que pour le Québec, même en cette période de prospérité, nous avons un problème de productivité. Au bout du compte, c'est notre niveau de vie qui est en jeu. Nous ne pouvons donc, devant de telles menaces et de telles angoisses, empêcher la réflexion qui s'impose.

À cet égard, j'ai parfois l'impression de rejouer une scène d'un film déjà bien connu. Il y a une vingtaine d'années, j'ai émis une idée saugrenue, absurde et indéfendable, d'une zone de libre-échange entre le Canada et les États-Unis. La réplique m'était venue en un quart d'heure d'hommes politiques à

Ottawa, qui pensaient que je disais cela parce que j'étais souverainiste. Eux s'y opposaient pour des raisons de pur nationalisme précisément. Je revis donc la même mésaventure pour la monnaie.

Être nationaliste consiste à aimer sa patrie, et aimer sa patrie c'est la vouloir prospère par les moyens les plus contemporains, les plus ouverts et les plus modernes. Or, vouloir la prospérité par le protectionnisme ou vouloir la prospérité par une souveraineté monétaire factice et dépassée, ce qui revient au même, est une des grandes difficultés d'adaptation du Canada contemporain.

Dans nos Amériques, le dollar américain domine une multitude de petites monnaies dont fait partie le dollar canadien. Le degré de dollarisation chez les pays latino-américains est *de facto* déjà extrêmement élevé : plus de 30 % des dépôts de toutes ces économies sont constitués de dollars américains ; 30 % ne sont pas en monnaie nationale et 55 % à 70 % des billets en circulation sont des dollars américains. Cette dollarisation *de facto* leur aura permis de stabiliser l'environnement économique de leur pays.

Après le Panama (dès 1904), l'Équateur a opté cette année pour la dollarisation officielle, au début de 1999 ; l'Argentine s'y est déclarée favorable. Le Mexique, le Salvador, le Costa Rica, le Guatemala envisagent également cette possibilité. La réaction de Washington à cet égard est assez pragmatique et plutôt favorable à la dollarisation de ces pays émergents. D'ailleurs, un projet de loi a été déposé à la fin de janvier 2000, au Sénat (*International Monetary Stability Act*) en vue de faciliter l'utilisation du dollar américain dans d'autres pays.

Au Canada même, il se produit une dollarisation *de facto*. La part des actifs en monnaie étrangère des banques canadiennes a progressé de 35 % à 46 % entre 1978 et 1998. Un nombre croissant d'entreprises canadiennes inscrivent leurs actions directement aux bourses américaines. De plus, les salaires de certains cadres supérieurs, artistes et athlètes du sport professionnel sont payés en dollars américains.

Quand les idées ne progressent pas suffisamment vite, la réalité les précède.

Le colloque organisé par la chaire Téléglobe Raoul-Dandurand et le Conseil des relations internationales de Montréal en collaboration avec le Réseau HEC et la Chambre de commerce du Montréal métropolitain se penche ces jours-ci sur les options à envisager. Parmi celles-ci, la possibilité d'une dollarisation officielle tout simplement par un geste législatif comme certains pays de l'Amérique latine l'ont fait. La création d'un conseil monétaire qui opérerait à la place de la Banque centrale et émettrait une monnaie nationale convertible sur demande à taux fixe. Ou encore, la mise en place d'un taux de change fixe, déterminé par la Banque du Canada, pour maintenir la parité des monnaies comme durant les années des accords de Bretton Woods. Puis, tôt ou tard, il faudra envisager une union monétaire panaméricaine à l'image du vaste marché commun que nous devrions avoir eu le temps de mettre en place d'ici là.

Cette union monétaire aura des conséquences mondiales positives et simplifiera toutes les transactions internationales, financières ou réelles, qui comportent des prix de marchandises. Le débat actuel sur le bien-fondé du régime de change canadien s'inscrit dans ce nouveau contexte international, d'autant plus que le choix d'un régime monétaire approprié est fondamental pour les résultats économiques futurs des économies canadienne et québécoise.

Les réflexions qui s'amorcent sur une éventuelle union monétaire nord-américaine ou panaméricaine n'en sont qu'à leur début. Des travaux sur les coûts et bénéfices d'un tel projet pour l'ensemble des Amériques demeurent à réaliser afin d'éclairer davantage le débat qui est par ailleurs devenu inéluctable.

Le Québec,
une nation d'Amérique et d'avenir

La Presse, *le 9 avril 2001*.

Au nom du gouvernement du Québec et de l'ensemble des Québécoises et Québécois, je suis heureux de souhaiter la bienvenue dans notre capitale nationale aux dirigeants, délégués et observateurs qui participent au IIIe Sommet des Amériques.

Je souhaite également la bienvenue aux femmes et aux hommes des quatre coins du continent venus participer au IIe Sommet des Peuples des Amériques.

Le Québec s'affirme dans les Amériques depuis près de cinq cents ans. Ses liens avec les autres régions et pays du continent n'ont jamais cessé de se développer, d'abord par l'exploration, puis par la migration et, enfin, grâce à de nombreux échanges commerciaux, touristiques, sociaux et culturels. Ils ne pourront que s'enrichir avec la création de la Zone de libre-échange des Amériques.

Le récent débat entourant la place du Québec au Sommet des Amériques est cependant venu nous rappeler le prix que doit payer une nation qui n'a pas sa souveraineté. Le Québec a beaucoup à dire. Notre patrie est porteuse d'une vision d'Amérique et d'avenir. Nous sommes cependant privés du droit de parole, réduits au silence sur des questions qui touchent pourtant nos propres champs de compétence.

Une conviction américaine

Le Québec est depuis longtemps un ardent promoteur de l'ouverture des marchés. Pour le gouvernement, la négociation d'une zone de libre-échange des Amériques s'inscrit dans la même perspective. Car les accords précédents (ALE, ALENA) nous ont été profitables : les entreprises ont su relever le défi et le Québec est devenu, par ordre d'importance, le septième partenaire commercial des États-Unis.

La conviction américaine du gouvernement s'est aussi concrétisée sous la forme de la Décennie québécoise des Amériques. L'initiative vise à tripler le nombre d'entreprises québécoises exportant en direction des Amériques (de 500 actuellement à 1500 à l'horizon 2010), à accroître le nombre de Québécoises et de Québécois parlant l'espagnol (augmentation de 4 % à 12 % de la population), à susciter un courant d'échanges de jeunes (3000 annuellement) par la création de l'Office Québec-Amériques pour la jeunesse (OQAJ) et, plus généralement, à intensifier la dimension hémisphérique de l'ensemble des programmes et des activités internationales du gouvernement.

Des valeurs essentielles

Si le gouvernement du Québec dit oui à l'économie de marché, il dit non à la société de marché. La santé, l'éducation, la culture, en bref le développement social, ne peuvent être assujetties à une logique strictement commerciale.

L'ouverture des marchés à l'échelle continentale doit se faire à l'intérieur des balises que sont le respect des droits humains et sociaux ainsi que de ceux des travailleurs. Ici même elle doit respecter nos compétences constitutionnelles.

Le gouvernement du Québec a par ailleurs été l'un des premiers à rendre accessibles les textes des négociations aux parlementaires de l'Assemblée nationale, qui s'est elle-même longuement penchée sur les effets de l'intégration des

Amériques. Au chapitre de la démocratie et de la transparence, le Québec est aujourd'hui à l'avant-garde.

Les cultures nationales

Le gouvernement du Québec considère qu'il est impérieux de promouvoir la diversité des cultures, des langues et des identités nationales. Il croit que le futur texte instituant la ZLEA devra inclure une clause d'exemption culturelle claire qui protégera le droit des États des Amériques de définir librement leurs politiques culturelles et les instruments d'intervention qui y concourent.

Puisque la langue française est chez elle en Amérique, la future ZLEA doit également respecter les quatre langues majeures parlées sur son territoire, soit l'espagnol, le portugais, l'anglais et le français.

Agir sur la mondialisation

Fort de l'appui massif de sa population, le Québec a joué un rôle déterminant dans la conclusion des premiers accords de libre-échange. Son économie, qui est aujourd'hui l'une des plus diversifiées et des plus ouvertes au monde, s'adapte sans cesse à de nouveaux marchés.

Car pour nous Québécoises et Québécois, la mondialisation n'est pas un système, une idéologie ou une philosophie : c'est une réalité sur laquelle nous pouvons et nous devons agir afin notamment de préserver notre identité nationale.

Le Québec dans le concert des nations : les défis de la mondialisation

Le Québec dans le monde : entre la coopération et les relations commerciales

Allocution d'ouverture au sommet sur « Le Québec dans le monde », mai 1984.

Peu de temps après la naissance de la fédération canadienne, le Québec envoyait des agents d'immigration en Europe continentale, en Grande-Bretagne et aux États-Unis. En 1880 et en 1891, les premiers ministres Chapleau et Mercier séjournaient en France afin d'y contracter des emprunts. En 1882, le gouvernement québécois nommait un commissaire général à Paris. En 1911, il ouvrait une agence générale à Londres et plus tard à Bruxelles.

Ainsi que le démontrent ces quelques exemples, l'ouverture au monde du gouvernement du Québec ne date pas d'hier.

C'est tout de même à partir des années soixante que la continuité de cette action s'est incontestablement dégagée de façon à la fois plus ample et plus diversifiée. Tout comme nos partenaires sociaux, nous avons, depuis vingt-cinq ans, fortement accentué nos relations internationales. Une foule d'activités extérieures se sont ainsi, petit à petit, greffées à l'ensemble des initiatives gouvernementales, que ce soit, à titre d'exemples, sur les plans commercial, financier ou migratoire.

Si bien qu'en considérant aujourd'hui les intervenants québécois on peut dire que, pour la plupart, la mise en œuvre de leurs activités internationales les a mis en relation, à un moment ou à un autre, avec le gouvernement du Québec:

- soit pour obtenir la contribution de diverses ressources;
- soit pour s'impliquer eux-mêmes dans des projets gouvernementaux ou tenter légitimement de les infléchir;
- soit pour obtenir des interventions d'appui ou de caution officielle;
- soit parce que la législation québécoise, comme élément facilitateur ou contraignant, a dû être prise en compte.

L'appareil qui appuie nos rapports – et les vôtres – avec l'extérieur s'est graduellement élaboré pour répondre à deux besoins principaux: d'abord, aller chercher à l'extérieur des éléments qui, adaptés à notre situation, favorisent la modernisation de l'État québécois et, plus généralement, le développement de la société québécoise; en second lieu, tenter de mieux contrôler l'impact des réalités et des événements internationaux de tout ordre sur cette même société québécoise.

C'est ainsi que le Québec a progressivement développé des relations administratives et opérationnelles, indispensables à tous les États modernes, avec d'autres gouvernements.

Les nombreuses activités qu'a menées et que mène le gouvernement québécois dans les domaines de la coopération, des échanges économiques et de l'immigration cherchent à favoriser l'insertion la plus opportune et la plus adéquate possible de notre société dans le flux complexe et mouvant de la vie internationale.

Nos activités de coopération s'articulent autour d'un certain nombre d'axes sectoriels et géographiques.

Dans un premier temps, les échanges avec d'autres partenaires dans le domaine de l'éducation et de la culture ont été favorisés. Plus récemment, l'accent de l'action gouvernementale s'est déplacé vers la coopération à retombées technologiques, scientifiques et économiques. Cette action prend la forme d'initiatives gouvernementales réunissant des intervenants de divers secteurs économiques québécois et étrangers dont le but est d'identifier les mesures pouvant favoriser le développement mutuellement bénéfique de leurs échanges. [...]

La coopération avec les pays moins industrialisés s'est d'abord appuyée sur les organismes internationaux francophones, où la communauté de langue permet des relations particulièrement aisées. Notre contribution s'est essentiellement concentrée sur des projets d'enseignement et de formation et dans la coopération technique touchant, entre autres, l'administration publique, l'énergie, la radiotélévision et le journalisme, l'hôtellerie, la recherche industrielle.

Largement africaine et francophone dans les années soixante, la relation du Québec avec le Tiers-Monde s'est graduellement élargie. Du côté multilatéral, le Commonwealth offrait déjà certaines ouvertures, notamment vers l'Asie et l'Afrique dite anglophone. Les organismes des Nations unies, dans la mesure où ils sont accessibles au Québec, offraient également certaines perspectives plus larges. Au niveau bilatéral, on constate, au cours des années soixante-dix, une diversification nouvelle en Afrique, une ouverture très active en direction de l'Amérique latine et une amorce de relations avec l'Asie, avec la Chine en particulier.

Géographiquement, on peut observer quelques grands axes : la France et les États-Unis pour les pays industrialisés. Dans les pays en développement et les pays nouvellement industrialisés, le Québec agit surtout en Afrique du Nord, en Afrique de l'Ouest et en Amérique latine. Avec sa délégation au Japon, le Québec commence à s'intéresser à l'Asie, qui devrait accueillir sous peu d'autres missions québécoises.

Que ce soit avec les pays développés ou en développement, la coopération pratiquée par le Québec pourrait très certainement être approfondie. Reste à déterminer avec précision les grandes lignes de cette intensification.

L'action gouvernementale dans le domaine des échanges économiques a été caractérisée, en un premier temps, par la recherche d'investissements étrangers. Une nouvelle orientation a été donnée à cet effort à partir du milieu de la dernière décennie en faveur de la promotion des exportations et des accords industriels.

Le Québec a toujours été un grand exportateur. L'histoire et les chiffres en témoignent éloquemment. Ils démontrent à l'évidence que les exportations sont vitales pour le Québec. Elles représentent chez nous plus de 40 % du produit intérieur brut ; 20 % environ du nombre total d'emplois, soit plus de 500 000, en dépendent directement ou indirectement.

Par ailleurs, les avantages que le Québec retire notamment de certaines importations, en investissements étrangers et de la conclusion d'accords industriels, nous permettent d'affirmer sans hésitation que le développement du Québec dépend largement de ses échanges économiques avec l'extérieur.

Ainsi n'est-il pas étonnant que le gouvernement du Québec accorde aujourd'hui une grande place à cette dimension de son ouverture au monde. La création encore récente d'un ministère du Commerce extérieur le prouve clairement.

Il demeure que le développement des échanges économiques internationaux du Québec constitue une tâche collective qui exige une collaboration étroite et continue entre le gouvernement et l'entreprise privée.

Car les obstacles à cette croissance sont nombreux et de taille : la position de quelques-uns de nos produits exportés est sérieusement menacée par l'apparition de nouveaux concurrents, par l'émergence d'un plus grand protectionnisme et par une concurrence accrue en matière de financement.

Il nous faut ensemble trouver des moyens pour diversifier nos produits et nos marchés d'exportation et pour accroître la valeur ajoutée de nos exportations. […]

En ce qui concerne ses propres activités sur la scène internationale, les principaux problèmes auxquels fait face le gouvernement du Québec sont reliés à l'absence de mécanismes de concertation structurée avec les intervenants et au degré relativement faible de sensibilisation de la population québécoise à l'importance de l'action internationale du gouvernement.

Tous, nous contribuons à l'ouverture au monde du Québec. Nous aurions sûrement avantage à le faire de façon plus cohérente, dans le respect, bien sûr, des particularités de chacun. Il y aurait par exemple lieu, pensons-nous, de mieux nous informer les uns les autres des activités internationales que nous menons. Une meilleure compréhension de nos apports spécifiques serait certes de nature à intensifier, qualitativement et quantitativement, la contribution québécoise au village planétaire.

La population québécoise est incontestablement curieuse de l'étranger et intéressée par la chose internationale. Il faut noter le remarquable travail accompli depuis plusieurs années à ce propos par les organismes québécois de coopération internationale. Paradoxalement, le grand public semble pourtant parfois afficher une certaine indifférence pour les activités internationales du gouvernement du Québec. Nous aimerions, en étroite collaboration avec vous tous, sensibiliser davantage les Québécoises et les Québécois à l'importance cruciale, eu égard tout autant à leurs responsabilités qu'à leurs intérêts, de leur présence au monde.

Les relations internationales du Québec : le défi de l'interdépendance

Réflexion à l'occasion du second sommet sur « Le Québec dans le monde », décembre 1984.

Depuis quelques années maintenant, on assiste, au sein de la société québécoise, à une prise de conscience de l'importance que revêtent nos relations internationales. Que l'on soit homme ou femme d'affaires, agriculteur, fonctionnaire ou professionnel, il est désormais difficile de concevoir le cheminement de sa vie sans y intégrer une dimension internationale. Il en va pour la société comme pour les individus.

Cette prise de conscience trouve son origine dans le fait que le Québec, comme toute autre société contemporaine, voit son évolution de plus en plus conditionnée par un ensemble de courants et d'événements prenant naissance à l'extérieur de ses frontières. Notre industrie du bois dépend pour sa prospérité en bonne partie de la santé de la construction domiciliaire aux États-Unis ; la production télévisuelle québécoise doit tenir compte de plus en plus de l'accessibilité croissante des télévisions étrangères sur nos écrans, qu'elles soient américaines ou françaises. La profession médicale québécoise suit attentivement, à travers revues, colloques et projets de recherche conjoints, les progrès de la recherche médicale étrangère, et y contribue par ses propres recherches. Le sportif de haut niveau vit dans un contexte international, de même que nos artistes renommés. La multiplicité et la complexité des relations entretenues avec

l'étranger par toutes sortes d'intervenants québécois témoignent de la réalité de l'interdépendance que nous vivons
aujourd'hui avec le reste du monde.

Le développement économique mondial des quarante
dernières années a multiplié la demande pour nos produits,
accélérant les changements socioculturels qui accompagnent
les mutations économiques. L'explosion vécue depuis trente
ans dans le domaine des moyens de transport et de communication nous a permis de nous rendre présents de toutes sortes de façons à l'étranger, tout en facilitant de manière sans
précédent la présence étrangère jusqu'aux confins les plus
reculés de notre territoire. Les Québécois ont assisté à un
élargissement extraordinaire des pays d'origine des immigrants que nous accueillons, ce qui a contribué à modifier
fondamentalement notre perception du monde extérieur et
de l'avenir de notre propre société.

L'état d'interdépendance dans lequel se situe le Québec
par rapport aux autres sociétés comporte des avantages et des
désavantages. Parmi les avantages qui découlent de l'état
d'interdépendance, on pourrait citer l'ouverture progressive
des frontières pour nos matières premières et produits finis,
une forte demande pour notre savoir-faire dans les domaines
les plus diversifiés, une grande liberté de circulation des personnes et des idées.

Les problèmes découlant de cette situation sont, à titre
d'exemples, l'existence d'une concurrence de plus en plus forte
même dans nos marchés traditionnels, la non-compétitivité,
ici au Québec, de plusieurs de nos industries vis-à-vis des produits d'importation, la plus forte attraction exercée par des
modèles culturels étrangers omniprésents; le Québec projette,
par ailleurs, une image de terre d'asile pour des réfugiés alors
que notre capacité d'accueil est limitée. Les conflits régionaux
et la tension internationale ont un impact direct sur le Québec: les violations massives des droits de la personne sur tous
les plans auxquelles nous assistons mettent, à terme, en péril
l'existence du système de valeurs auquel nous croyons, en plus
d'interpeller quotidiennement notre conscience.

Les deux versants de l'interdépendance nous contraignent à agir en tant que collectivité. La passivité devant les défis qui nous sont posés aboutirait rapidement à la déstabilisation de notre économie, à des problèmes sociaux et culturels de toute première grandeur. Ne pas chercher à orienter nos relations internationales en fonction de nos intérêts nous condamnerait à vivre en fonction d'intérêts qui ne sont pas nécessairement les nôtres. Ne pas agir, tout compte fait, ce serait s'abandonner au bon vouloir de nos partenaires, pour le meilleur et pour le pire.

Comment la société québécoise doit-elle relever le défi qui nous est posé ? Chacun d'entre nous dispose tout d'abord de moyens d'intervention à son lieu de travail à travers l'inventivité et l'ardeur dont il saura faire preuve dans la solution des problèmes tels qu'ils se manifestent à son niveau individuel. En dehors des préoccupations liées directement à l'emploi, un vaste champ d'activités bénévoles s'offre aux Québécois dans le domaine de la solidarité internationale. Dans la vie de chaque jour, l'accueil offert à l'étranger de passage ou à l'immigrant qui se joint à notre collectivité constitue un facteur important pour l'image que notre société projette à l'extérieur. Enfin, lorsque nous nous rendons à l'étranger, chacun d'entre nous peut contribuer à améliorer la perception globale que le monde extérieur a de nous et de ce que nous faisons collectivement.

Nous nous sommes dotés d'un ensemble tout à fait remarquable d'entreprises et d'institutions, d'associations et de communautés qui sont appelées à nouer des liens avec des interlocuteurs demeurant à l'étranger. Chacune de ces entités doit savoir tirer profit, pour son développement, des ressources extérieures et doit pouvoir compter sur toutes les ressources disponibles au Québec pour appuyer son action.

Le palier gouvernemental a une responsabilité particulièrement lourde à assumer si notre société veut relever pleinement le défi qui lui est posé. Chargé de cerner à un niveau mondial les intérêts d'une collectivité nord-américaine de dimensions relativement restreintes, dont l'originalité est manifeste sur le plan socioculturel, l'État doit être en mesure de définir une politique extérieure originale adaptée au contexte québécois et d'identifier les moyens dont la société doit se doter pour y parvenir.

Les Québécois, au sein du système constitutionnel actuel, peuvent être représentés à l'extérieur par deux gouvernements : celui du Canada et celui du Québec. Au premier incombe de promouvoir les intérêts internationaux de notre société dans des domaines aussi vitaux que ceux de la sécurité et de la stabilité économique internationale, notamment sur le plan monétaire. Il lui incombe très largement aussi de veiller à la défense de secteurs industriels et culturels qu'une ouverture trop grande vers l'extérieur peut mettre en danger.

Lorsque l'on sait à quel point les Québécois sont sensibles aux questions de désarmement, à quel point la survie de nombre de nos industries dépend du niveau des barrières tarifaires et non tarifaires ou du niveau du dollar canadien par rapport à la devise américaine, on mesure mieux l'ampleur des intérêts internationaux que la société québécoise remet entre les mains des autorités fédérales. La responsabilité du gouvernement du Canada à l'égard de notre société n'en est que plus lourde ; aussi appartient-il à l'ensemble des composantes de celle-ci de veiller à ce que l'État fédéral prenne en compte nos intérêts spécifiques dans la formulation et la mise en œuvre de ses politiques internationales.

Cela vaut évidemment pour le gouvernement du Québec. Outre les responsabilités exclusives que la société lui confie, le gouvernement du Québec est, en dernier ressort, le seul canal par lequel les intérêts spécifiques de notre société peuvent s'exprimer sur le plan international. Aussi le Québec ne doit-il pas hésiter à intervenir auprès d'Ottawa pour se faire l'interprète des intérêts de la collectivité en matière internationale lorsqu'il s'agit de problèmes qui sont traités à Ottawa.

Depuis bientôt un quart de siècle, le gouvernement du Québec assume à l'extérieur les responsabilités que la collectivité lui a confiées à l'intérieur, dans les domaines du développement économique, social et culturel. D'abord d'envergure limitée, l'action québécoise sur le plan international s'affirme au fur et à mesure que l'on prend conscience que l'État québécois ne peut assumer les responsabilités qui sont les siennes que s'il est prêt à prendre en compte la dimension internationale de celles-ci.

Conçue en fonction de préoccupations culturelles et éducatives à l'origine, l'action québécoise, en matière de relations internationales, englobe désormais une gamme très large d'interventions. Le gouvernement s'est doté d'un ensemble d'instruments, au niveau des structures et des programmes, afin de pouvoir agir efficacement à l'extérieur. Cette action reste encore modeste cependant, eu égard à l'ampleur des défis que l'interdépendance pose quotidiennement à notre société.

C'est en mesurant l'importance du chemin à parcourir avant que notre société soit équipée de tous les outils dont elle avait besoin pour se hisser au niveau atteint par certains de nos partenaires étrangers en matière d'efficacité de leur action internationale que le gouvernement du Québec a conclu qu'une concertation entre tous les intervenants québécois œuvrant à l'extérieur s'imposait. Un des facteurs les plus déterminants pour la réussite ou l'échec de notre société sur la scène internationale sera, en effet, sa cohésion, qui dépend presque essentiellement du degré de collaboration existant entre l'ensemble des intervenants, gouvernementaux et non gouvernementaux.

À première vue, une démarche comme celle que le gouvernement a envisagée peut paraître utopique. Pourtant, d'autres sociétés la pratiquent quotidiennement et parviennent à se situer à l'échelle mondiale à un niveau enviable de prospérité et de rayonnement. Nous n'avons, en réalité, pas tellement le choix si nous voulons maîtriser notre propre développement et nous tailler une place sur l'échiquier planétaire. Ou bien nous nous entendons sur un certain nombre de priorités pour notre action internationale et sur les moyens d'y parvenir, ou bien nous serons condamnés à rester à la remorque d'autres intérêts. Par-delà les intérêts légitimes de chaque secteur de notre société, un consensus minimal doit pouvoir être dégagé qui encadre de manière souple l'action des intervenants sur la scène internationale.

Ce consensus et cette collaboration ne sont pas l'affaire d'un jour. Ils découleront plutôt d'un processus continu de concertation et d'ajustement aux nouvelles réalités. [...]

Le sommet constitue un pas dans la prise de conscience de notre société devant les réalités de l'interdépendance des sociétés contemporaines. Il devrait aussi contribuer à dévoiler les réalités de l'interdépendance au sein de notre société des intérêts des intervenants. À l'interdépendance externe répond nécessairement une interdépendance interne, dont la reconnaissance de l'existence par chacun constitue une condition indispensable pour que nous relevions les défis de demain. Le gouvernement du Québec a l'intention d'agir à l'avenir de manière que cette réalité soit désormais perçue comme un atout pour l'action internationale de l'ensemble de la collectivité.

Les défis de la compétitivité,
une question d'avenir

Préface de l'essai Les défis de la compétitivité, *sous la direction d'Alain Martel et Oral Muhittin, Montréal, Publi-Relais, 1995.*

La question qui est au cœur du débat en cours sur l'avenir du Québec pourrait se formuler ainsi : comment réunir les moyens d'assurer sa croissance économique et son développement comme société d'avant-garde dans le monde du XXIᵉ siècle ?

Ainsi posée, cette question exclut l'immobilisme et le *statu quo* dans un monde en évolution rapide où plus rien n'est définitivement acquis ni assuré. Elle interdit toute complaisance dans un univers où les frontières ont perdu une grande partie de leur signification et où, pour réussir, il faut pouvoir se mesurer aux meilleurs. Elle trace la voie à un dessein mobilisateur : réunir chez soi les conditions requises pour s'adapter à un monde où le savoir constituera la ressource déterminante.

Voilà pourquoi, dans nos débats actuels, rien n'est plus important que de pouvoir situer correctement le Québec dans la dynamique internationale. Ce n'est qu'ainsi que nous pourrons saisir les enjeux véritables pour l'avenir du Québec, société et économie traditionnellement très ouvertes sur l'extérieur. Nous réaliserons en même temps que le Québec, comme le monde autour de lui, est appelé à changer pour assumer pleinement la responsabilité de son développement.

Cette prise de conscience de la dynamique mondiale représente un défi permanent. Défi encore plus exigeant à une époque comme la nôtre où le monde entier est engagé dans une mutation qui affecte toutes les sphères d'activité. Il est d'autant plus difficile de comprendre cette métamorphose que l'histoire, les explications valables pour le passé, les théories connues ne parviennent plus à rendre compte de la nouvelle réalité.

Les sociétés comme la nôtre ont la chance de pouvoir compter sur des institutions et des équipes de recherche capables d'analyser les faits nouveaux et d'en tirer des enseignements permettant à ceux qui sont engagés dans l'action d'acquérir la vision indispensable pour prendre les décisions qu'appellent les défis nouveaux.

En abordant *Les défis de la compétitivité* de l'économie actuelle, nous comprenons que ce livre est le produit d'un effort original qui a conduit des professeurs de disciplines diverses à réfléchir ensemble sur l'un des enjeux majeurs de l'évolution en cours. Non seulement d'un point de vue théorique, mais avec le souci d'en dégager un éclairage utile pour l'action des entreprises et des pouvoirs publics. On permettra à un familier de ces deux univers de se réjouir de cette initiative et d'en appuyer la poursuite et le rayonnement. Vu le nombre de détenteurs de doctorats qui ont uni leurs efforts pour réaliser cet ouvrage, le Québec ne manque pas de raisons d'espérer.

La mondialisation des marchés et des entreprises constitue l'un des phénomènes structurels les plus importants de notre époque. Elle a conduit à l'accroissement de la compétitivité, qui est devenu l'un des moteurs les plus puissants de la vie économique actuelle. La logique du marché s'est pratiquement imposée partout comme l'instrument de la régulation économique.

Dans *Les défis de la compétitivité*, les auteurs analysent la situation du Québec et du Canada et ils en dégagent des constats dont plusieurs révèlent des enjeux majeurs qu'ils font bien ressortir. Ceux qui pensent qu'il suffit de se contenter d'un illusoire *statu quo* et qui affirment que le Canada est à l'avant-garde feraient bien de se remettre à l'analyse des faits et des tendances qu'on y décortique.

J'apprécie le jugement positif que portent les auteurs sur l'importance qu'accorde le Québec à ses relations internationales, comme en fait foi la politique publiée sous le titre *Le Québec et l'interdépendance – Le monde pour horizon*. On y retrouve effectivement l'actualisation d'une réflexion et d'une tradition qui ont constamment incité le Québec à rechercher à l'extérieur de ses frontières une partie des ressources requises pour son développement.

Le Québec a constamment été partisan de la libéralisation ordonnée des échanges internationaux. Il faudrait se garder d'oublier que, sans l'appui militant des milieux québécois, l'Accord de libre-échange avec les États-Unis, suivi de l'ALENA, n'aurait sans doute jamais pu être signé, le reste du Canada comptant à l'époque de farouches opposants.

Relever le défi de l'ouverture, c'est croire qu'on peut répondre aux exigences de la concurrence et de l'économie de demain. Une économie où la maîtrise du savoir plus que la possession des matières premières représentera le facteur critique. Une économie où la qualité des ressources humaines, dans la formation, dans l'innovation, dans le management, fera la différence. Et où entreprises, pouvoirs publics et individus devront relever des défis inédits.

Reconnaître et respecter la logique du marché permet en même temps d'affirmer que les échanges internationaux, pas plus que la vie nationale, ne peuvent être réduits aux seuls impératifs commerciaux. Autant il importe de comprendre les réalités économiques dans leur dynamique actuelle, autant il ne faut pas céder à la myopie de ceux qui voudraient réduire les autres aspects de la vie collective – la culture, la vie sociale, l'identité – à un rôle secondaire.

Relever les défis de la compétitivité, c'est aussi en reconnaître les limites. Le rapport publié récemment en français par le Groupe de Lisbonne et qui s'intitule précisément *Limites à la compétitivité* soulève à cet égard des questions très pertinentes. S'il reconnaît la réalité et l'importance de la concurrence, il indique que la seule augmentation de la compétitivité n'est pas en mesure de fournir une réponse efficace aux problèmes qui se posent à long terme. Et que la faiblesse fondamentale de l'actuelle configuration planétaire tient à l'absence de modes réfléchis de direction des affaires mondiales, socialement responsables et inspirés par des principes démocratiques.

Personne aujourd'hui ne songerait à justifier le travail des enfants par les exigences de la compétitivité. Ne pourrait-on en dire autant du chômage et de la cohésion sociale, comme l'évoque d'ailleurs l'un des chapitres de l'ouvrage qui y trouve l'une des raisons du succès de l'Allemagne et du Japon?

En définitive, la mondialisation des marchés conduit à refonder l'économie sur de nouvelles bases. On sera amené, partout dans le monde, à « refaire nation », suivant la formule originale du président de la Fondation Saint-Simon, Pierre Rosanvallon.

Refaire nation, c'est transformer l'État pour le recentrer sur ses fonctions essentielles. Lui redonner les moyens d'agir pour mettre en place, dans le cadre d'institutions internationales responsables adaptées aux nouveaux enjeux, les conditions de réglementation d'un monde ouvert, interdépendant et respectueux de la diversité. Qui d'autre que les États, lieux de citoyenneté, où le contrôle démocratique peut s'exercer au bénéfice du bien commun, avec le souci des intérêts à long terme, peut exercer un tel rôle?

Refaire nation, c'est aussi, sur le plan interne, retrouver les fondements de la cohésion, non dans le cadre des frontières du passé, non dans l'illusion de la taille, mais dans cet espace que définit l'appartenance voulue et signifiante, autour d'un dessein commun qui fournisse précisément le meilleur instrument pour relever les défis d'un monde ouvert et interdépendant. Être ou devenir autonome, ce n'est pas s'isoler ni se replier sur soi. Bien au contraire. C'est assumer la responsabilité de son avenir, c'est prendre les moyens de le construire, dans le respect des autres, mais sans fausse dépendance, et avec le choix de ses ambitions et de ses outils.

Refaire nation, voilà le dessein actuel du Québec.

Un dessein qui peut prétendre se situer à l'avant-garde de la dynamique internationale. Parce qu'il est prêt à relever les impératifs de l'ouverture, y compris ceux de la compétitivité. Parce qu'il estime qu'il peut constituer cet espace de cohésion, de solidarité, de mobilisation, atouts décisifs dans la compétition qui s'annonce.

Voilà pourquoi des ouvrages comme celui-ci et comme celui du Groupe de Lisbonne me paraissent si importants : ils favorisent une prise de conscience salutaire des enjeux de l'avenir. Ils permettent de réaliser que, dans un monde ouvert et en mutation, l'avenir appartient à ceux qui savent s'appuyer sur leurs acquis pour le construire. Ils rejoignent ainsi, à leur façon, le souci permanent des Québécois d'être à la pointe du progrès tout en s'affirmant comme une société où la performance s'exprime autant dans le champ de l'économie que dans celui de la création culturelle pour créer un milieu de vie enviable à tous égards.

Voilà pourquoi, dans un monde où rien n'est acquis, le succès ne peut être assuré que par une conscience claire des enjeux et par une détermination à toute épreuve.

C'est précisément l'ambition que le gouvernement du Québec veut partager avec tous les Québécois : fournir à l'économie et à la société québécoises les conditions qui vont lui permettre d'entrer dans le XXIe siècle en disposant des instruments nécessaires pour en relever tous les défis avec succès.

Le virage électronique du Québec

Synthèse d'une allocution prononcée au colloque « Des PME branchées : un monde d'opportunités et de bénéfices », 2000.

Je participais récemment à une conférence des ministres des Finances de la Francophonie. J'y ai fait un constat étonnant : le nombre de Québécois branchés dépasse le total des gens branchés dans l'ensemble de la Francophonie ! Notre proximité avec les États-Unis, si elle n'est pas dénuée d'inconvénients, comporte aussi ses avantages. La situation n'est donc pas si alarmante dans l'absolu. Mais il reste beaucoup de pain sur la planche.

Le Québec a connu toutes les malchances au cours de son histoire. Nous avons raté la Révolution américaine, étant britanniques. Au moment de la Révolution française, nous n'étions plus là. Nous avons aussi perdu la moitié de notre population en 1867 puisque plusieurs ont alors quitté l'Empire pour aller rejoindre la République. En 1837, nous avons bien vécu une révolution, mais avec des résultats modestes. Mais nous avons fini par aboutir à notre Révolution tranquille.

En 1960, le niveau d'éducation du Québec était l'équivalent de celui de la population noire des États-Unis. Aujourd'hui, les Québécois de 18 à 45 ans affichent le taux de scolarité le plus élevé du continent. La proportion de notre population universitaire est plus élevée ici qu'à Boston, ville universitaire par excellence. Tout cela parce que, malgré l'adversité, nous avons toujours choisi d'adopter une attitude positive et progressiste.

D'autres auraient opté pour une attitude de repli, de protectionnisme, de fermeture. Nous avons plutôt choisi d'affronter le vent du large avec les risques que cela comportait. De considérer ce grand vent comme quelque chose de stimulant. Nous en récoltons aujourd'hui les dividendes : nous parlons toujours notre langue et nous possédons une identité marquée et une culture de grande qualité. Le Cirque du Soleil, Céline Dion, Michel Tremblay, nos troupes de danse, tout cela illustre chaque jour sur la scène internationale notre vitalité dans ce qu'elle a de mieux.

Notre aventure économique, qui fait aujourd'hui de nous la quinzième puissance mondiale, est elle aussi basée sur l'ouverture. Nous serons bientôt les premiers producteurs d'aluminium et de magnésium en chiffres absolus. Nous sommes aussi dans le peloton de tête pour le cuivre, le zinc, les kilowatts, etc. Mais tout cela n'équivaut qu'à 3 % de notre produit intérieur.

Où sommes-nous donc ? Dans la transformation et dans l'exportation de ces biens. Et surtout, en position extrêmement avantageuse pour la modernité économique, la valeur ajoutée. Les TIC.

L'avantage d'être en politique depuis longtemps, c'est de pouvoir parfois récolter les fruits de ses actions. Lorsque j'étais membre du gouvernement de René Lévesque au tournant des années quatre-vingt, je préconisais déjà le virage technologique. J'étais souvent alors accueilli avec scepticisme, voire hostilité. Les syndicats objectaient que c'était là un virage vicieux, certaines régions clamaient que le seul virage qui les intéressait était celui de la route 132. Tragiquement, ces régions se retrouvent aujourd'hui en difficulté et devront absolument prendre le virage électronique pour survivre.

Le succès du multimédia à Montréal doit maintenant être élargi – grâce à des actions gouvernementales déjà amorcées – à tout le territoire québécois. Les régions le réclament, à bon droit. Autrement, il y a risque d'exclusion. D'où la politique de création des centres de la nouvelle économie (CNE), la réplique régionale des centres de développement des technologies de l'information (CDTI), ou encore de la Cité de l'optique de Québec ou du multimédia de Montréal. Une cinquantaine de ces centres sont déjà en opération ou le seront sous peu dans toutes les villes d'importance du Québec.

Les choses ont changé et continuent d'évoluer très vite. À l'ère de l'ancienne économie, lorsque je procédais à l'inauguration d'une usine, je comprenais facilement ce qui allait s'y passer. Aujourd'hui, j'inaugure régulièrement des entreprises sans avoir la moindre idée de ce qui va s'y dérouler au quotidien. Je dois consulter mes enfants le soir pour comprendre ce que j'ai fait dans la journée !

Le Québec a pris le virage électronique. À cause de notre histoire, de notre situation géographique, du contexte culturel. Mais il faut parfois que l'action collective pallie les négligences de la « main invisible » du marché, comme dirait l'économiste Adam Smith. Que la « main visible » des pouvoirs publics s'en mêle.

Internet n'est pas né, rappelons-le, de l'entreprise privée capitaliste mais d'un effort de défense de la plus grande puissance du monde, l'Amérique. L'objectif s'est pacifié depuis mais, au départ, il ne s'agissait pas de brancher les écoles, loin s'en faut, mais de faire fonctionner l'appareil militaire et industriel. Même dans les pays libéraux, il est parfois bon que certaines interventions publiques viennent changer le cours des choses.

Au Québec, étant donné notre situation particulière, il faut que la « main visible » de l'État accélère les choses. Dans les TIC, nos crédits d'impôt R-D sont les plus stimulants de l'Occident. Ericsson a d'ailleurs davantage de chercheurs ici qu'à Stockholm ! Nous avons également amorcé une action vigoureuse pour former une main-d'œuvre dans les secteurs de pointe. Il y a ici plus d'employés en aérospatiale qu'à Toulouse, patrie de l'Airbus. Le Québec est la cinquième puissance aérospatiale au monde.

De même, en ce qui concerne le branchement à Internet, nous avons compris la nécessité de ne pas nous limiter à une approche libérale. Il ne s'agit pas de faire les choses en lieu et place de l'entreprise privée mais avec elle. Si nous sommes interventionnistes, c'est toujours en appui aux décideurs et à l'entreprise privée. Nous donnons un coup de pouce pour corriger au besoin les iniquités et répartir la richesse technologique. La fibre optique a par exemple fait son chemin de façon spectaculaire au Québec, sauf que toutes les régions ne sont pas rendues au même stade. Dans le dernier budget, nous nous sommes donc préoccupés de corriger la situation grâce à des subventions. Le développement dépendra largement dans l'avenir du taux de branchement et de la rapidité de transport de la communication, des services ou du commerce. Si tous n'ont pas l'équipement de base pour supporter cela, l'exclusion guette.

Nous intervenons aussi pour que les PME se branchent rapidement et largement. Nous affichions encore récemment une avance sur certains pays d'Europe mais un retard sur le continent. Nous avons commencé à rattraper ce retard au cours des derniers mois. Nous voulons l'effacer tout à fait par des crédits d'impôt généreux aux PME. Nous ne voulons aucun exclu ni en raison de la taille de l'entreprise ni en raison de la situation géographique. C'est pourquoi nous avons mis sur pied un programme de branchement des familles à Internet (une subvention à l'achat du matériel et des services pour les familles qui répondent à certains critères). Pour les écoles, nous sommes dans une situation exemplaire.

Le contraire d'être branché, c'est être débranché. Or, il y a des signes de débranchement autour de la planète actuellement. La globalisation, qui va de pair avec le branchement, inquiète. Les manifestations de Davos ou de Seattle contre l'Accord multilatéral sur l'investissement (AMI) le prouvent; plusieurs jugent que les pays sont trop branchés et sonnent l'alarme. Un concert dissonant s'élève. Mais ce qui est fascinant, c'est que le principal bailleur de fonds de ces manifestations est un géant américain du textile reconnu pour ses positions protectionnistes. Alors que, dans la rue, les gens hurlent que la mondialisation appauvrira les plus pauvres de la planète, celui qui paye derrière a compris que la meilleure façon pour que les pays les plus pauvres le restent, c'est de bloquer les frontières pour les empêcher d'entrer chez soi. Il y a là une contradiction invraisemblable !

J'admets par contre que tous ceux qui crient en faveur du débranchement n'ont pas tort sur toute la ligne. Il y a dans ce concert des angoisses respectables. Globalisation veut dire libre circulation de tout, des services, des capitaux, des biens... Y compris des biens fabriqués la nuit par de petits enfants, ou au prix de catastrophes écologiques. Il faut en tenir compte. On peut aussi être pour la mondialisation et ne pas vouloir vivre au rythme d'un sabir anglais composé d'une poignée de mots passe-partout.

Il faut faire du branchement planétaire un outil d'épanouissement et non un instrument d'exclusion, d'insignifiance, de repli culturel et, ultimement, d'appauvrissement de l'espèce humaine. Il y a là un très beau programme mais beaucoup de responsabilité aussi. Les gens comme vous, spécialisés dans ces interconnexions magnifiques qui sont notre avenir, devez avoir à cœur que tout cela se fasse dans un contexte de progrès véritable pour l'être humain.

Le défi de la mondialisation : l'urgence de la souveraineté

Octobre 1998.

Pour éviter que la globalisation des marchés ne sombre dans l'anarchie économique et sociale ou ne soit régie par le gouvernement des multinationales, elle devra être de plus en plus placée sous la surveillance et le contrôle de pouvoirs supranationaux. Comme seules les nations reconnues sont admises à siéger dans ces instances mondiales supérieures, le pouvoir s'éloignera de plus en plus des citoyens et citoyennes du Québec s'ils ne se décident pas à faire leur indépendance nationale au plus tôt.

Cette indépendance depuis longtemps nécessaire, légitime et faisable aurait pu se réaliser en même temps et pour les mêmes motifs que celle des États-Unis d'Amérique, seize ans après les plaines d'Abraham. Elle aurait pu se faire plus tard dans la foulée des nombreux États devenus souverains, en Amérique latine ou ailleurs dans le monde, depuis ce temps. Notre souveraineté se serait justifiée à l'époque même du Régime français puisque nous étions déjà un peuple au XVIIIe siècle. Certains historiens s'étonnent du fait que notre liberté ne soit pas advenue plus tôt, entre les deux guerres mondiales par exemple, alors que ses fondements étaient déjà si clairs, et depuis si longtemps.

Aujourd'hui, toutes les anciennes raisons subsistent, mais une formidable et nouvelle motivation donne à notre projet national une modernité fulgurante, et le rend plus impérieux encore qu'auparavant. En effet, dans le nouveau contexte mondial, la souveraineté n'est plus seulement une question de survie, de prospérité et de rayonnement international des peuples, c'est la qualité même de leur vie démocratique qui est mise en cause par cette nouvelle donne que constitue la mondialisation.

Le droit des peuples à se gouverner librement et à traiter d'égal à égal avec les autres est inscrit depuis longtemps dans le droit naturel, et confirmé dans l'effectivité historique. Pour les peuples déjà libres et maîtres de leur destin, la question ne se pose même pas et aucun d'entre eux ne voudrait renoncer à sa souveraineté, sauf partiellement et seulement par adhésion volontaire à de véritables instances supranationales. Jamais ils n'accepteraient durablement d'en sacrifier la moindre parcelle pour se soumettre à la domination d'un autre peuple voisin ou lointain, amical ou hostile. Quant à ceux qui sont pris au piège, ils ne se reposent jamais tant qu'ils ne sont pas libres. C'est le cas du Québec comme de l'Écosse, et auparavant celui des trois États baltes ou de la Slovénie, pour ne nommer que quelques-unes des libertés à conquérir ou déjà recouvrées. Quant à la Catalogne, l'Espagne démocratique n'oserait plus contester le statut national de ce peuple et bloquer son évolution comme Ottawa le fait avec nous.

Le fondement principal des indépendances nationales est partout le même et bien connu : elles reposent sur les solidarités humaines naturelles et la convivialité, de plus en plus élective d'ailleurs à cause de la liberté accrue de circulation des personnes. La grande famille humaine, avec ses cinq milliards d'individus et sa formidable diversité, linguistique et culturelle notamment, est trop vaste pour l'adhésion directe et intime de chaque personne. Les siècles et la nature des choses ont créé ce relais intermédiaire essentiel, que l'on appelle peuple ou nation, bien soutenu et accompagné par les irrépressibles besoins d'identité et d'appartenance. Il est certain que les Patriotes du Bas-Canada au XIXe siècle s'inspiraient déjà de ces valeurs fondant la liberté des peuples. Les mêmes principes influencèrent la pensée d'Honoré Mercier, cinquante ans plus tard, et étaient bien sûr au cœur des réflexions des frères O'Leary, de Raymond Barbeau, de Marcel Chaput, d'André D'Allemagne et de Pierre Bourgault par la suite.

Mais ce sont les fondateurs du Mouvement Souveraineté-Association, René Lévesque en tête, qui, de façon claire et formelle, ont solidement arrimé la recherche d'indépendance du Québec à la modernité. Ils l'ont conçue, dès le départ, comme les nations avancées et libres vivent la leur à l'aube de l'an 2000. C'est-à-dire à l'intérieur d'organisations supranationales favorisant la coopération étroite entre les peuples par la recherche des quatre libertés de circulation (biens, services, capitaux et personnes) et l'établissement d'institutions communes.

Il est clair que le traité de Rome, signé en 1957 et qui portait en germe tout ce que l'Union européenne est devenue aujourd'hui, a fortement influencé la réflexion des souverainistes du Québec. À la naissance du MSA, le désarmement douanier était déjà chose faite entre les pays fondateurs de la Communauté économique européenne. Il était déjà acquis que l'on pouvait découpler le périmètre de souveraineté politique d'un peuple de son espace économique. De tout petits pays, sans renoncer à leur souveraineté, avaient soudain le même marché que leurs grands voisins qui, par le fait même, élargissaient aussi le leur. On connaît la suite : l'Europe est devenue un formidable modèle de rapports économiques et politiques harmonieux entre des peuples libres. En pratique, un camion peut aujourd'hui quitter Stockholm sur les bords de la Baltique et rouler jusqu'à Brindisi sur les rives de l'Adriatique sans devoir s'arrêter à un seul poste douanier même s'il franchit une série de frontières nationales diverses. Les pièces du nouvel euro, la monnaie commune et unique, sont déjà frappées et attendent leur mise en circulation, au début de 1999, pour couronner la plus grande œuvre d'intégration et de fluidité économiques de l'histoire humaine.

Il faut souligner que la vieille Europe a chèrement payé de deux guerres cruelles et de millions de morts – dont six millions de Juifs sacrifiés sur l'autel du fanatisme raciste – le droit d'enseigner aux autres que les rapports pacifiques entre les peuples ne se fondent pas sur la domination, mais sur la solidarité dans la recherche de leur développement mutuel.

Cette façon de voir s'est maintenant répandue à divers degrés par toute la planète. L'Union européenne elle-même, à partir de six membres fondateurs, ne cesse de croître et n'a probablement pas terminé son évolution spatiale : il n'est pas absurde de penser qu'elle s'étendra un jour « de l'Atlantique à l'Oural ». De toute manière, dans les parages mêmes de l'Oural, comme sur les rives de la Baltique, des peuples sont redevenus libres et coopèrent entre eux suivant diverses formules modernes. Dans tous les continents, les libertés nationales se sont donc affirmées, consolidées au moment même où la mondialisation avançait de façon irréversible : les deux vont de pair comme compléments et contrepoids.

Une révolution de cette ampleur ne va pas sans créer toutes sortes de problèmes, ressentis de façon particulièrement dramatique depuis quelques mois. Ces graves maladies infantiles de la globalisation, dont nous vivons les premiers soubresauts sérieux, ne trouveront pas de solution en dehors de véritables organisations supranationales liant par traité des peuples libres qui leur sacrifient une part de souveraineté. Au marché global, il faut une régulation globale par des instances qui dépassent les nations. C'est la seule manière d'empêcher efficacement la diffusion foudroyante, par simple contagion, de diverses crises nées dans les maillons les plus faibles du système. Il faut relever d'urgence le niveau général d'efficacité d'un appareil législatif, réglementaire et régulateur vraiment mondial. Comme à l'intérieur des frontières nationales, on ne peut compter uniquement sur l'éthique spontanée et le libéralisme pour assurer l'ordre, la paix et l'honnêteté des rapports économiques. Il faut aussi qu'à l'échelle mondiale des autorités communes, légitimes et démocratiques s'en chargent.

Ainsi, malgré les risques réels, mais en raison de l'existence de solides amorces de solutions démocratiques, incarnées par plusieurs instances mondiales respectables et qui offrent déjà de bonnes possibilités de règlement des nouveaux problèmes, on peut être assuré que la mondialisation va continuer son inéluctable progression. Les grands ensembles sont là pour rester et croître ; en même temps, le nombre des pays membres des Nations unies va continuer à augmenter, et on ne prévoit aucune soustraction. Même notre continent américain, avec un demi-siècle de retard sur l'Europe, a commencé son intégration au Nord comme au Sud, tout en respectant lui aussi les souverainetés nationales des nombreux pays engagés dans cette vaste entreprise.

C'est d'ailleurs le Québec, on s'en souvient, qui a donné le ton, par instinct comme par intérêt, à ce mouvement panaméricain, et qui en a provoqué l'amorce par son vote massif en faveur de l'ouverture de la frontière entre le Canada et les États-Unis. L'accord bilatéral a ouvert la porte à l'ALENA trilatéral à la suite duquel, par exemplarité, tout devenait possible.

Surtout que, poussés par les mêmes impératifs contemporains, les pays du Cône Sud ont aussi lucidement formé le Mercosur et solidement amorcé l'intégration de leur partie du monde. On se rappellera que les actuels dirigeants du Canada se sont opposés, bec et ongles, au premier accord et ont menacé de le déchirer afin de nous mieux garder prisonniers de l'espace économique de la petite Amérique britannique du Nord et de son cœur industriel l'Ontario. Beau trait de nationalisme étroit et sans vision.

Toutes ces réalités d'intégration économique et matérielle entraînent évidemment des conséquences politiques et démocratiques très sérieuses. Ce mouvement de libéralisation et la supervision nouvelle qu'il impose signifient que des pans entiers et de plus en plus importants de la vie des hommes et des femmes de tous les pays se joueront maintenant essentiellement à trois niveaux : le supranational mondial, le supranational régional et le national. Le niveau provincial, aussi appelé sous-national, comme dans le cas des provinces, toutes égales, d'une même fédération, deviendra de plus en plus trivial, chargé de tâches non négligeables certes, mais totalement encadré et limité dans son action par les divers niveaux supérieurs.

L'évolution récente du statut du Québec, marquée par le jeu combiné de l'unilatéralisme brutal d'Ottawa en matière constitutionnelle et de son opiniâtre impérialisme budgétaire, le mène peu à peu vers le statut d'exécutant mineur des décisions prises dans les vrais lieux de pouvoir. Le même phénomène frappe évidemment toutes les autres entités sous-nationales du Canada, mais pour la Saskatchewan et l'Île-du-Prince-Édouard, tout comme d'ailleurs pour la Rhénanie-Westphalie ou le Wisconsin si l'on veut élargir le débat, cela n'est pas vraiment une tragédie. Ces instances provinciales ou locales n'ont aucune ambition nationale ni véritable culture spécifique ni langue particulière à maintenir par rapport à l'étranger. Leurs particularismes économiques ou sociaux ne justifient pas qu'ils soient membres de l'OCDE, présents à l'OMC ou à l'Unesco, et d'ailleurs aucune d'entre elles n'en montre la moindre velléité. Le cas échéant, comme elles n'ont à ce jour aucun vrai passé national ou identitaire, leur mouvement serait vite à ranger, ce n'est pas leur faire injure que de le rappeler, parmi les plus vulgaires formes de séparatisme.

Pour le Québec, quinzième puissance économique du monde, qui a sa langue et sa culture, très différenciées de celles de l'entourage, son passé, ses projets communs, en un mot son destin national, c'est une tout autre affaire. Ce que la Saskatchewan ne peut ni ne veut, c'est-à-dire faire partie du concert des nations, le Québec le peut de toute évidence, il l'a presque voulu formellement en 1995 et le voudra bientôt clairement. C'est pour lui un moyen essentiel pour faire valoir ses intérêts particuliers et assurer sa place dans le monde, tout en préservant son identité propre et sa façon originale de pratiquer les solidarités humaines.

Il est facile de voir que la globalisation des marchés requiert plus que jamais un niveau de pouvoir, entre les nations et au-dessus d'elles, sans quoi l'intégration ne pourra se faire que dans l'anarchie et sa cohorte de risques socioéconomiques, ou sous la gouverne des firmes multinationales et transnationales qui n'ont de comptes à rendre qu'à leurs actionnaires. Ces deux cas de figure sont inacceptables et comportent un déficit démocratique insoutenable. On l'a vu dans le cas de l'AMI, où un club estimable, l'OCDE, mais formé uniquement d'un petit groupe de nations presque toutes riches, a voulu donner le pas à la planète entière dans des champs essentiels qui doivent relever du peuple à travers les institutions démocratiques que les peuples se donnent.

Les cas de ce genre sont de plus en plus nombreux où des décisions qui nous affectent de façon vitale ne seront plus prises ni à Québec ni à Ottawa, mais à des tables supranationales où le pouvoir central prétendra nous représenter. Une délégation canadienne, qui doit faire valoir, comme le dit la Constitution du Canada, que toutes les provinces sont égales et qui nie ouvertement l'existence du peuple québécois, va déjà et ira de plus en plus parler en notre nom à Genève ou à Marrakech, à l'ONU ou à l'Unesco ou, plus tard, dans des instances continentales où seront assis à bon droit l'Uruguay, le Chili et le Salvador, mais non le Québec. C'est aussi injuste qu'absurde et inefficace ; cela choque l'esprit le moindrement objectif.

Le domaine très spécifique de la culture nous a donné récemment à Ottawa l'exemple dramatique de ce qui sera de plus en plus notre lot dans tout le reste. C'est Sheila Copps, et non pas Louise Beaudoin, qui a parlé aux autres peuples de la terre au nom de la culture de Gaston Miron et d'Anne Hébert. Quand on sait malheureusement ce que pense, dit et écrit le Canada anglais à propos du Québec, demander au gouvernement central de faire valoir ce que nous sommes et ce que sont nos intérêts et notre image à l'étranger relève de plus en plus du masochisme. Pourquoi leurs diplomates, même les plus honnêtes, parleraient-ils de nous en mieux que l'ensemble de la presse canadienne anglaise, si généralement négative au sujet du Québec, quand elle n'est pas tout simplement sectaire et intolérante ?

Il faut noter qu'en matière économique nous subissons déjà ce sort depuis longtemps avec les résultats que l'on connaît. L'Auto Pact qui fait que l'Ontario, par le truchement de Ford, General Motors et Chrysler, est le cœur économique du Canada, et que le taux de chômage de cette province est toujours inférieur à celui du Québec, a été l'œuvre d'une diplomatie et d'une fonction publique économique canadiennes qui ne se sont jamais vraiment souciées de prendre acte et de faire valoir qu'il y avait aussi, au Canada, un autre espace industrialisé, le Québec, dont le potentiel est plus élevé encore que celui de l'Ontario. Ils ont été plus prompts à l'intervention quand il s'agissait d'enlever au Québec un avantage de situation.

À cet égard, posons-nous brutalement la question suivante : qu'adviendrait-il dans une négociation internationale serrée si la délégation canadienne devait trancher entre l'aéronautique et l'automobile ? Vers quoi la poussera le vent politique démocratique dominant si en plus on est à la veille d'une élection fédérale ? Voilà des réalités inéluctables qui étaient vraies hier et le seront incommensurablement plus dans le nouveau contexte d'intégration planétaire. Bien évidemment, ce n'est pas parce que les Canadiens sont méchants, ou même qu'ils nous en veulent, pour la plupart d'entre eux en tout cas, c'est simplement qu'ils illustrent, une fois de plus, ce que George Washington écrivait jadis : « *There can be no greater error than to expect or calculate upon real favour from Nation to Nation.* »

Même les hommes d'affaires fédéralistes du Québec conviendront facilement que, dans n'importe quelle négociation économique internationale, leurs intérêts seraient à l'évidence mieux servis s'ils étaient représentés par Gérald Tremblay ou par votre serviteur que par John Manley ou Sergio Marchi. Au-delà des personnes, l'évaluation des motivations profondes des uns et des autres et de leur connaissance des besoins économiques du Québec me semble facile à faire et pourtant, dans le système défendu traditionnellement par une grande partie de notre classe d'affaires, seuls les fédéraux sont admis aux tables décisionnelles internationales.

Mis à part notre statut dans la Francophonie gagné de haute lutte et sans cesse précarisé par l'irrédentisme fédéral, l'essentiel de notre représentation internationale formelle est dominé par le Canada et ses porte-parole. Les efforts surhumains des diplomates québécois ne peuvent compenser la force du nombre et des institutions. Nous payons de nos impôts et taxes un imposant corps diplomatique fédéral pour généralement nier l'existence même de ce que nous sommes comme peuple et nation, ou pour colporter à l'étranger les inepties habituelles de la presse canadienne à notre égard. Je dois cependant à la justice de préciser qu'il y a dans la diplomatie canadienne, anglophone comme francophone, de nobles et rares exceptions : ces professionnels doivent travailler à la limite de la désobéissance aux consignes pour présenter la réalité telle qu'elle est.

De toute manière, si l'on parle d'éducation à l'Unesco, qui s'exprime au nom de notre peuple ? De santé, à l'Organisation mondiale de la santé ? De droit du travail, au Bureau international du travail ? Les ministres québécois, qui sont pourtant nos élus responsables et démocratiquement désignés pour gérer ces matières, n'ont aucun rôle direct dans ces instances. Notre voix doit passer par les messagers du gouvernement du Canada et singulièrement, ces années-ci, d'un certain Jean Chrétien, dont l'intransigeance est proverbiale et dont le simplisme, quant à la question du Québec, est bien connu ici comme à l'étranger.

En d'autres termes, la présence du Québec dans la fédération canadienne, couplée à l'émergence rapide d'un appareil économique, social et culturel de plus en plus supranational, accroît le déficit démocratique d'une façon spectaculaire, érode les pouvoirs de l'Assemblée nationale et éloigne de plus en plus les citoyens et citoyennes du Québec des centres de décision importants pour leur vie quotidienne. D'ailleurs, plus le dialogue mondial est important, plus le Canada cherche à nous en tenir à l'écart de façon hargneuse, ce qui rend les choses encore plus dramatiques.

Les Ontariens n'ont pas ce problème. Leur gouvernement national est à Ottawa, et il les sert très bien. Ils n'ont aucun besoin ni désir de quitter le Canada, dont ils sont le cœur et qu'ils dominent à l'intérieur comme à l'extérieur. Pour des raisons différentes, le Manitoba et la Saskatchewan ne voient rien de tragique dans cette situation. Mais pour le peuple du Québec, la nouvelle donne est déjà intenable et le sera de plus en plus.

C'est un peu comme si on demandait à un Français, par une hypothèse absurde, d'accepter que la France devienne un des Länder allemands, dans une fédération aux institutions centrales officiellement bilingues, mais très majoritairement germaniques. Le citoyen français serait ainsi gouverné par Paris, capitale provinciale, Berlin, capitale fédérale, et Bruxelles, capitale européenne, et à travers ce dédale il chercherait à influencer l'OMC ou l'Unesco dans le sens de ses intérêts nationaux, sans la présence bien entendu d'un ambassadeur de France ni même français à la table décisionnelle. Un brave Berlinois essaierait dans ces circonstances incongrues de sauvegarder le cinéma français, l'aérospatiale, le fromage au lait cru ou simplement de recouvrer le droit d'avoir une équipe dans le Mondial de football pour représenter l'espace sous-national français! Ce modèle aussi impensable qu'impertinent représente pourtant la réalité que le régime canadien inflige aux Québécois. Ils doivent tenter de maîtriser leur destin à partir de Québec en passant par Ottawa, puis par l'ALENA et ses institutions, présentes et à venir pour aboutir enfin aux grandes structures supranationales sans droit de parole ou de représentation directe. Quant à participer aux tournois internationaux de hockey, il n'y avait que Guy Bertrand pour y rêver! On voit bien, dans les petites choses comme dans les grandes, que l'on s'éloigne à grande vitesse de l'idéal démocratique. Le pouvoir quitte le peuple, et le statut provincial du Québec nie et niera de plus en plus la justice tout autant que le simple bon sens.

C'est pourquoi il est impérieux et urgent de nous rapprocher des pouvoirs supranationaux émergents qui seront de plus en plus importants dans nos vies. Comme la participation à ces tables est strictement réservée aux seuls peuples et nations reconnus, notre devoir démocratique est de plus en plus clair si nous voulons préserver ce que nous sommes.

Notre temps, on le voit bien, nous donne une raison impérieuse de plus et un devoir additionnel de rejoindre le concert des nations : c'est urgent, car les jeux sont en train de se faire sous nos yeux et sans nous. Les dizaines de nouveaux membres de l'ONU, depuis dix ans, l'ont compris parfaitement et vivent déjà pleinement leur vie de peuple dans le monde.

Notre place nous attend ; il faut la prendre vite ; autrement nous serons très gênés pour expliquer à nos petits-enfants pourquoi nous avons laissé échapper cette chance historique et refusé de suivre, dans la dignité, cette voie normale et toute tracée pour les peuples.

Il me semble que tout cela est d'une clarté lumineuse, c'est pourquoi je prends la liberté – en tout respect pour le lecteur – de dramatiser mon propos à l'aide d'un extrait d'une lettre de Régis Debray, écrite en 1969, à mon ami Philippe de Saint-Robert : « Un fait est sûr, écrit-il, quiconque ne comprend pas que l'unification économique et technique de la planète Terre ira de pair avec l'accentuation de ses particularités nationales, quiconque ne saisit pas cette étonnante dialectique, qui est le tissu de notre présent, il est grand temps qu'il passe une fois pour toutes pour un imbécile. Fût-il socialiste, pacifiste et mondialiste. » Traiter d'imbécile celui qui ne voit pas les choses comme soi-même est un procédé cavalier dont je me dissocie formellement. Par ailleurs, le parcours de Debray, du gauchisme au gaullisme en passant par le mitterandisme, et qui écrivait ces lignes avant que le nombre de pays à l'ONU n'augmente du quart et que le GATT ne cède la place à l'OMC, commande au moins la réflexion malgré sa tournure irrespectueuse. D'ailleurs, dans un langage plus sobre, Boutros Boutros-Ghali dit la même chose quand il affirme : « Pour entrer en relation avec l'Autre, il faut d'abord être soi-même. C'est pourquoi une saine mondialisation de la vie moderne suppose d'abord des identités solides. »

Ne peut être solide l'identité à qui l'on nie le droit de parler en son nom propre.

De mon côté, c'est très simplement et amicalement que j'incite les Québécois et Québécoises de toutes origines qui ont voté NON en 1995, tout en leur réitérant mon respect profond de leur décision, à entrer en réflexion maintenant, à la lumière de ces nouvelles données, en vue de « la prochaine » qui viendra bientôt. En effet, le choix à venir devient de plus en plus évident et dépasse la question toujours centrale du patriotisme : c'est la démocratie elle-même, planétaire comme nationale, qui est en cause maintenant. Les gens de bonne volonté ne peuvent pas se soustraire à ce nouvel examen de la question.

Table

AUTRES TITRES PARUS
DANS CETTE COLLECTION

Daniel Baril, *Les mensonges de l'école catholique. Les insolences d'un militant laïque*

Marc-François Bernier, *Les planqués. Le journalisme victime des journalistes*

Bruno Bouchard, *Trente ans d'imposture. Le Parti libéral du Québec et le débat constitutionnel*

Pierre Bourgault, *La résistance. Écrits polémiques, tome 4*

Claude G. Charron, *La partition du Québec. De Lord Durham à Stéphane Dion*

Charles Danten, *Un vétérinaire en colère. Essai sur la condition animale*

Georges Dupuy, *Coupable d'être un homme. « Violence conjugale » et délire institutionnel*

Pierre Falardeau, *Les bœufs sont lents mais la terre est patiente*

Madeleine Gagnon, *Les femmes et la guerre*

Carole Graveline, Jean Robert et Réjean Thomas, *Les préjugés plus forts que la mort. Le sida au Québec*

Henri Lamoureux, *Le citoyen responsable. L'éthique de l'engagement social*

Henri Lamoureux, *Les dérives de la démocratie. Questions à la société civile québécoise*

Richard Langlois, *Requins. L'insoutenable voracité des banquiers*

Josée Legault, *Les nouveaux démons. Chroniques et analyses politiques*

Yves Michaud, *Paroles d'un homme libre*

Rodolphe Morissette, *Les juges, quand éclatent les mythes. Une radiographie de la crise*

André Néron, *Le temps des hypocrites*

Stéphane Paquin, *La revanche des petites nations. Le Québec, l'Écosse et la Catalogne face à la mondialisation*

Jacques Parizeau, *Pour un Québec souverain*

Jacques Pelletier, *Les habits neufs de la droite culturelle. Les néo-conservateurs et la nostalgie de la culture d'un ancien régime*

André Pratte, *Les oiseaux de malheur. Essai sur les médias d'aujourd'hui*

Michel Sarra-Bournet (sous la direction de), *Le pays de tous les Québécois. Diversité culturelle et souveraineté*

Serge Patrice Thibodeau, *La disgrâce de l'humanité. Essai sur la torture*

CET OUVRAGE
COMPOSÉ EN GOUDY 12 POINTS SUR 14
A ÉTÉ ACHEVÉ D'IMPRIMER
LE VINGT-SIX NOVEMBRE DEUX MILLE DEUX
SUR LES PRESSES DE TRANSCONTINENTAL
DIVISION IMPRIMERIE GAGNÉ
À LOUISEVILLE
POUR LE COMPTE DE
VLB ÉDITEUR.

IMPRIMÉ AU QUÉBEC (CANADA)